USTED PUEDE

Recopilación de breves palabras sobre el tema más importante del mundo: Su éxito

George Matthew Adams

Compilado con comentarios de Don M. Green

USTED PUEDE

*Recopilación de breves palabras sobre
el tema más importante del mundo: Su éxito*

❦

Basado en la filosofía
de éxito de
Napoleon Hill

Brainstorm Press

USTED PUEDE

© 2005 • The Napoleon Hill Foundation

Título en inglés: You Can
Versión en español Copyright 2006 - The Napoleon Hill Foundation
Revisión y edición a cargo de Don M. Green

Publicado por:

Brainstorm Press
Una división de Taller del Exito, Inc
1669 N.W. 144 Terrace, Suite 210
Sunrise, Florida 33323
Estados Unidos

Editorial dedicada a la difusión de libros y audiolibros de desarrollo personal, crecimiento personal, liderazgo y motivación.

ISBN: 1-931059-18-7

Printed in Venezuela

1ª edición publicada por Taller del Éxito, febrero de 2008

ÍNDICE

PRÓLOGO

*E*l Diccionario de Referencias Clásicas de Webster define la palabra bocado como una pequeña porción o cantidad de comida. A lo largo de este libro encontrará muchos bocados que le darán en qué pensar.

La información que se recibe en pequeñas cantidades puede conducir a costumbres positivas. Buenas costumbres tanto del pensamiento como de la acción. Ya que de varias maneras, el éxito es en sí mismo puramente una cuestión de costumbre.

La historia de las biografías de los grandes hombres ha demostrado que la lectura de libros fue esencial para su crecimiento.

W. Clement Stone pidió prestados cien dólares y montó un negocio de seguros que acumuló un valor neto de cientos de millones de dólares. Siendo un niño pequeño, leyó los libros de Horatio Alger y esto influyó notablemente en su perspectiva de la vida.

El joven Abe Lincoln caminaba varias millas para conseguir libros prestados y los leía a la luz del hogar. La educación de Lincoln provino principalmente de libros que le fueron prestados.

No ha de extrañarnos que nuestro tercer Presidente, Thomas Jefferson haya comentado una vez: "No podría vivir sin libros". Lea este pequeño libro y esté atento a pequeñas porciones de información que lo ayudarán en su camino hacia el éxito.

—DON M. GREEN
Director ejecutivo Napoleon Hill Foundation

Las cosas en las que realmente creemos
siempre suceden y creer en ellas
es lo que hace que sucedan.
—Frank Lloyd Wright, 1867-1959

Para tener éxito en cualquier tipo de esfuerzo,
debe tener una meta bien definida hacia
la cual dirigir sus esfuerzos. Debe tener planes
claros para alcanzar esta meta. Nada que valga
la pena se logra nunca sin un plan de acción
bien definido seguido día tras día de manera
sistemática y continua.
—Napoleon Hill, 1883-1970

Le será más fácil tener éxito si antes sabe
qué es lo que desea. Luego debe planear
ponerse en marcha. Posiblemente no conozca
todas las respuestas cuando comience, pero
no debe dejar que eso le impida comenzar
su camino hacia el éxito.
—Don M. Green,
Director ejecutivo Napoleon Hill Foundation

USTED PUEDE

*U*STED PUEDE transformarse en cualquier cosa cuyo germen habita dentro de usted. Pero para hacer realidad sus plenas posibilidades –dominar y lograr–debe tener metas, ambiciones e ideales elevados, todos ligados a una férrea voluntad. Usted mismo es quien determina la altura a la que ascenderá. ¿Tiene la cima en vista? Muy bien– entonces emprenda su camino hacia ella.

USTED PUEDE tomar el control de sí mismo en cualquier momento que así lo desee. Puede transformarse en una figura imponente en la obra del mundo. Usted no tiene dueño. El cien por ciento de las acciones en su corporación personal le pertenece. A las Personitas de la Destrucción que se lamentan en su puerta, que se lamentan en la puerta de todo hombre poderoso... puede convertirlas en meros pigmeos sin poder sobre su futuro. ¿Lo está haciendo ahora? Bien...

¡Continúe con eso!

USTED PUEDE gozar de sonrisas y aliento y juventud continua simplemente siendo fiel a su propio arte y dirigiendo su propio volante piloto con "Lo de mejor de sí" como lugar donde atracar. Los resultados hablan por sí mismos. Ignore las burlas, las críticas y los juicios erróneos de los demás. Con el tiempo se irán desvaneciendo si su fortaleza de carácter acumulada le ha enseñado a esperar. El hoy está formado por los planes del ayer puestos en acción. El mañana comienza hoy. Su valor para usted mismo y para el mundo se mide según lo que aporta cada día en utilidad. El éxito es la sumatoria de los días.

De modo que debe hacerlo hoy.

USTED PUEDE hacer realidad el éxito por medio del trabajo, el sacrificio, el entusiasmo, el altruismo y el auto-control. Usted es el dueño de su propio destino. Tome el control de usted mismo hoy.

¡USTED PUEDE!

La fragancia perdura siempre en la mano
que otorga la rosa.
—Hada Bejar

Un principio básico de la Filosofía del "Piense y hágase
rico" es que cuanto más da uno, más recibe. En todo lo que
haga –por sus clientes, sus socios, sus empleados, su familia-
intente hacer sólo un poco más de lo que se espera de usted.
Sobresaldrá porque no hay embotellamientos en la milla
extra, y descubrirá que ayudar a los demás es una de las
mayores riquezas de la vida.
—Napoleon Hill, 1883-1970

Uno de los principios del éxito es sembrar y cosechar. Por
alguna razón muchas personas parecen estar esperando
que llegue su barco en lugar de nadar hacia él; por lo tanto,
nunca comprenden realmente los principios del éxito.
No es posible arrastrarse a uno mismo hacia el éxito pero
sí podemos echar una mano a los demás ayudándolos a
ayudarse a sí mismos.
—Don M. Green,
Director ejecutivo Napoleon Hill Foundation

50-50

*N*ingún hombre en el mundo recibe en forma legítima más de lo que da. Y si lo hace es simplemente un mero ladrón, una desgracia antes que nada para él mismo, y luego para todos los demás. La división equitativa es siempre la división justa, la mitad para usted y la mitad para él. Dicho de otro modo, se parte de la base 50-50.

Procure dar tanto como recibe.

Usted que es un empleado, ¿está seguro de estar dando en forma de servicio tanto como está recibiendo en forma de dinero, experiencia, inspiración y capacitación de su empleador? Ahora mismo, pase factura. ¿Los resultados se ven como un 50-50? De no ser así, comience a implementar su plan.

Procure dar tanto como recibe.

Cuando se lo ejecuta de manera correcta, este plan del 50-50 implica la muerte para los insatisfechos, para los malhumorados y para los asesinos del éxito. Éstos no pueden vivir dentro del ambiente de este plan. El aire les resulta demasiado estimulante.

Procure dar tanto como recibe.

Todos los conflictos de este mundo son atribuibles a la ausencia del principio 50-50. Los hogares deshechos, las empresas desintegradas, las amistades abandonadas, los ejércitos despilfarradores del mundo. Este principio es necesario en todos los aspectos de la vida. Pero nunca se convertirá en una regla de las acciones cotidianas hasta que USTED, desde su lugar, comience a aplicarlo. 50-50.

Procure dar tanto como recibe.

El silencio cuenta con una ventaja trascendental:
no da ninguna pista a nadie de cuál
será nuestro próximo movimiento.
—Napoleon Hill, 1883-1970

Considere adoptar la costumbre de la hora silenciosa, en
la que permanecerá quieto y escuchará esa vocecilla calma
que habla desde su interior. De ese modo descubrirá el más
extraordinario de los poderes: la visión creativa, el poder
único que puede llevarlo de la orilla del fracaso del río de la
vida hasta la orilla del éxito.
Durante su hora silenciosa estará solo, solo en compañía
de usted mismo y de Dios. Ésta es una hora que no puede
compartir con nadie más. Debe adentrarse en el silencio
solo, por su propia voluntad y en armonía. Cuando llegue
a ese punto, debe hablar por usted mismo. Nadie puede
hablar por usted y nada sucederá excepto lo que usted
inspire mediante el uso de su propia iniciativa. Además, no
puede sucederle nada de gran importancia fuera de su hora
silenciosa salvo lo que usted inspire por su propia iniciativa
personal, y la visión creativa es la que inspira el desarrollo
de la iniciativa personal.
—Napoleon Hill, 1883-1970

El silencio

*E*s cierto: en muchos casos el silencio es oro. Ahora usted lo sabe. Pero intente comprenderlo de manera más profunda aún. Ya que el hombre silencioso generalmente es el hombre pensante y el trabajador silencioso es el trabajador que cumple con su trabajo. Pero lo mejor de todo es que el silencio es una regla de conducta de la vida diaria que lo hace grande y poderoso.

No replique.

Las más grandes personas de acción de la historia han sido hombres y mujeres de pocas palabras: Napoleón, Cromwell, Washington, Grant, Lincoln, Marshall Field, Edison... Estos hombres no tuvieron tiempo para peleas, altercados o venganzas.

No replique.

El mundo está avanzando hacia la idea del silencio: menos palabras, más acciones. Es la gran ley de la naturaleza. Está convirtiéndose en la gran ley de los negocios. Porque no se puede responder al silencio. No hay nada que contestar.

No replique.

Mire a su alrededor. Usted admira a las personas silenciosas, aquellas que se ocupan de sus propios asuntos y construyen. Conoce los nombres de las personas útiles en su ciudad. No puede hacerles malgastar su tiempo, no puede hacerles enojar. No puede robarles nada. Su silencio es su riqueza y su solo andar por la calle lo dice todo de ellos. Agregue un nuevo lema a aquellos que ya tenga. Siga este lema: el silencio.

No replique.

Es imposible que un hombre sea engañado por otros,
excepto por sí mismo.
—Ralph Waldo Emerson, 1803-1882

Se puede apreciar el carácter de todo hombre en la forma en
que recibe la alabanza.
—Lucius Annaeus Seneca, 4 A.C.-65 D.C.

El talento de crear y mantener una buena impresión de
usted mismo en las mentes de otras personas soslaya
muchos de los tropiezos en el camino hacia el éxito.
También puede significar la diferencia entre inspirar
antagonismo o cooperación en las personas, tanto si las
acabara de conocer como si las hubiera conocido por años.
—Napoleon Hill, 1883-1970

El carácter

$\mathcal{E}$l carácter es la suma total meritoria de lo que posee un hombre después de haberlo ganado todo y lo único que le queda después de haberlo perdido todo.

El carácter es poder.

En su lecho de muerte, J. Pierpont Morgan, el máximo poder de las Finanzas en todo el mundo, declaró bajo juramento: "El carácter es el único indicador de un hombre, o la única regla con la cual puede medirse un hombre en los negocios; por lo tanto los bienes materiales son de importancia secundaria".

El carácter es poder.

Los muros del carácter que construya un hombre resistirán las embestidas más despiadadas que cualquier otro hombre pueda dirigir contra él. El buen carácter de un hombre o de una mujer es absolutamente inconquistable. La reputación puede mancharse, pero el carácter no. Ya que la reputación es lo que la gente puede decir que un hombre es, pero el carácter es lo que realmente es.

El carácter es poder.

El carácter es más importante que el talento, el genio, la fama, el dinero y las amistades. No hay nada que se le compare. Un hombre puede tener todo eso y sin embargo ser inútil o infeliz en comparación y morir en bancarrota en lo que respecta a su alma. Pero el carácter otorga beneficios infinitos, transforma al hombre en un hacedor poderoso y crea para él un nombre inmortal.

El carácter es poder.

El carácter es poder en los negocios, en el hogar, en la calle, en todo lugar. Y es un obsequio si lo pide un hombre que tiene la intención de ser benévolo, honesto, justo, generoso, leal, valiente: ¡grande! Imprima su carácter en forma más profunda en los demás hoy mismo y haga que rija su trabajo. Permita que lo conduzca hacia delante. Y esfuércese en todo momento para fortalecerlo. Porque...

El carácter es poder.

El mayor error que puede cometer en la vida
es temer todo el tiempo que cometerá uno.
—Elbert Hubbard, 1856-1915

Si el primer plan que adopta no tiene éxito, reemplácelo
por uno nuevo; si este nuevo plan tampoco funciona, reem-
plácelo a su vez con otro, y así sucesivamente hasta que
encuentre uno que sí funcione. Es en este preciso punto
donde la mayoría de los hombres tropiezan con el fracaso,
debido a su falta de perseverancia para crear nuevos planes
que reemplacen a los que no tuvieron éxito.
—Napoleon Hill, 1883-1970

Aprender de nuestros errores es sencillamente la manera en
que uno contempla lo que ha ocurrido. Los resultados que
no son los esperados pueden ser una razón para renunciar
o el obstáculo que puede considerarse un escalón a subir.
Aceptar un error como lección puede servir para impulsar a
las personas hacia delante.
—Don M. Green,
Director ejecutivo Napoleon Hill Foundation

Los errores

*A*nalice sus errores.

Existen dos clases de errores. Aquellos que ocurren debido a una manera de pensar errada común y corriente y aquellos que resultan de la imprudencia y de la falta de reflexiones o debido a pensamientos insignificantes.

Analice sus errores.

Nunca nadie se vuelve demasiado grande como para no cometer errores. El secreto radica en que el gran hombre es mayor que sus errores, porque se eleva por sobre ellos y continúa su paso más allá de ellos.

Después de un sermón de Henry Ward Beecher en Plymouth Church, Brooklyn, un joven se le acercó y le dijo: "Señor Beecher, ¿se dio cuenta de que tuvo un error gramatical en su sermón de esta mañana?"

"¿Un error gramatical?", contestó Beecher. "Apuesto la cabeza a que tuve cerca de cuarenta".

La mitad del poder del hombre vigoroso emana de sus errores de cualquiera de las dos clases. Lo ayudan a seguir siendo humano.

Analice sus errores.

Los errores que le quitan poder a un hombre, que lo debilitan hasta dejarlo enclenque, son los errores provocados por estupidez o por imprudencia. El oficinista que olvida, el taquígrafo que no presta atención, el trabajador negligente; éstas son las personas cuyas sangre y vitalidad se agotan hasta disolverse en el fracaso.

Analice sus errores.

Una de las tareas más importantes en su día a día es hacer todo lo mejor posible, sin preocuparse por los errores. Pero después de haber terminado su trabajo, cuando caiga en la cuenta de sus equivocaciones, no las eluda, no se lamente, no se desaliente.

Analice sus errores.

Luego saque provecho de ellos, y siga avanzando.

*¿Dónde estará y qué estará haciendo de aquí a diez años si
continúa haciendo lo que hace ahora?*
—Napoleon Hill, 1883-1970

*En ocasiones, puede que la persona que tiene un objetivo
mayor definido, fe y determinación sea arrastrada debido a
circunstancias fuera de su voluntad, desde la orilla del éxito
de su gran río a la orilla del fracaso. Pero no permanecerá
allí por mucho tiempo, ya que sus reacciones mentales ante
su fracaso serán lo suficientemente intensas para llevarlo de
regreso a la orilla del éxito, que es su legítimo lugar.
Comprenda que el fracaso o la derrota no son más que
pasajeros; son la forma en que la naturaleza revela la
humildad, la sabiduría y el entendimiento. Recuerde
también que cada adversidad trae aparejada la semilla de un
beneficio equivalente o mayor.*
—Napoleon Hill, 1883-1970

BACHES

$\mathcal{U}$na de las lecciones importantes de la vida es aprender a esquivar los baches. Todos estamos destinados a toparnos con ellos alguna vez. Pero debemos salir de ellos en forma inmediata. Porque permanecer en un bache es quedarse inmóvil y estancado, mientras los demás pasan de largo y se olvidan de uno.

Mantenga los ojos abiertos y su mente despierta.

Tenga cuidado con el bache de la imitación, el bache que lo aleja de su propio trabajo y de sus propias ideas y lo convierte en un duplicado suyo en lugar de un original. Los creadores perduran en una clase por su propia cuenta. Rinda homenaje a la cabeza que tiene sobre sus propios hombros. Coja la costumbre de la iniciación.

Mantenga los ojos abiertos y su mente despierta.

Reflexione. Reúna nuevas ideas. Déles la bienvenida. Lea. Saque provecho de las mentes de las épocas pasadas. Compárelas con el pensamiento y las experiencias de su propia época. Adéntrese en los misterios. Descubra las verdades que encierran. Aprenda ALGO nuevo cada día y estará listo: estará armado para no estancarse dentro de su bache de rutina.

Mantenga los ojos abiertos y su mente despierta.

Procure variar su trabajo cada día tanto como le sea posible. Piense en nuevas formas de realizar viejas tareas. El cerebro funciona más ágilmente si está más interesado. Ame su trabajo. Si no es su caso, busque un trabajo que sí lo entusiasme.

Mantenga los ojos abiertos y su mente despierta.

Y sea amable con su propia máquina humana. Déle descanso. De vez en cuando escabúllase en nuevos ambientes, vea nuevas caras y conozca nuevos paisajes. Regocíjese entre aquellos que hacen y se atreven. Estreche sus manos con los sonrientes, pase de largo a los malhumorados. Ahora, lea estas breves palabras nuevamente y decídase a mantenerse alejado del estancamiento a partir de este momento.

Nunca confunda movimiento con acción.
—Ernest Hemingway, 1899-1961

El trabajo en equipo genera poder, pero si el poder es
temporal o permanente depende de los motivos que
inspiraron la cooperación. Si el motivo inspira a las personas
a cooperar voluntariamente, el poder generado por este
tipo de trabajo en equipo perdurará en tanto prevalezca
ese espíritu de buena voluntad. Si el motivo obliga a las
personas a cooperar por miedo o por otra causa negativa,
el poder generado será temporal. La coordinación de
esfuerzos individuales puede generar un poder físico colosal,
pero la resistencia, la calidad, el alcance y la fortaleza de
este poder se derivan de ese algo intangible conocido como
el "espíritu" en que las personas trabajan en conjunto para
lograr un fin común. Si el espíritu del trabajo en equipo
es voluntario, deliberado y libre, conducirá al logro de un
poder extraordinario y perdurable.
—Napoleon Hill, 1883-1970

Aunar fuerzas

*P*ara esta charla pondremos por caso que la frase "hacer algo en armonía" significa aunar fuerzas para lograr un fin deseado. Es una forma posible de ver las cosas. Porque cuando las personas aúnan todas sus fuerzas individuales y actúan en armonía, a menudo se logra el objetivo deseado.

AUNAR FUERZAS es actuar en armonía.

Si analizamos el fracaso de una persona, esto es lo que aprendemos. La persona está totalmente dividida, en completa desunión. Su cerebro carece de organización. Gran parte de su capacidad de percepción está aturdida o muerta. Su voluntad ya no es su ama. Es sólo un huésped y sufre privaciones extremas. Su fuerza original de ejecutivos y asistentes -que otrora fueron diligentes, saludables y entusiastashan salido todos al patio a dormitar. La confusión y la ruina imperan por doquier. Reina el caos. ¿Cuál es el remedio? Éste:

AUNAR FUERZAS es actuar en armonía.

Es maravilloso el cambio que se da cuando un hombre reúne todas sus fuerzas y las concentra en realizar UNA cosa a la vez. La idea de lograr cosas aunando fuerzas es la idea del progreso. "Querer es poder". Pero querer no sirve de nada sin el plan que esté detrás de ese querer. Plan: Querer-poder. Aunando fuerzas las cosas se logran.

AUNAR FUERZAS es actuar en armonía.

Cuando comienza a dividir sus intereses o a distribuir sus fuerzas, comienza a perder el control. En tanto aúne todas sus fuerzas, aumentará su poder. Las cosas grandes se hacen en base al plan en conjunto. Cazando aves se obtienen piezas pequeñas pero se necesitan las agallas de un único rifle para derribar la gran pieza de caza.

AUNAR FUERZAS es actuar en armonía.

Analice y tenga en cuenta este pensamiento a medida que enfrente su trabajo día a día. Déle un lugar de honor como una regla de trabajo. Aúne todas sus fuerzas. Y manténgalas unidas.

Cuando no hay nada que perder con el intento, y mucho que ganar con el acierto, con seguridad vale la pena intentarlo.
—Napoleon Hill, 1883-1970

Toda persona que tenga éxito en cualquier esfuerzo debe estar dispuesta a quemar sus naves y eliminar toda posibilidad de retirada. Sólo así puede uno estar seguro de conservar ese estado de ánimo conocido como un ardiente deseo de triunfar, que resulta esencial para tener éxito.
—Napoleon Hill, 1883-1970

Es muy importante tener esperanzas de triunfar o de alcanzar cada meta que uno se traza. El anhelo de superar los obstáculos será más plausible si uno aspirar a triunfar. Una razón fundamental para adoptar una actitud ganadora es que usted tomará las medidas necesarias y no se dará por vencido cuando el camino se vuelva dificultoso.
—Don M. Green,
Director ejecutivo Napoleon Hill Foundation

TRIUNFAR

*E*l primero de todos los mandamientos en el decálogo de triunfar es no perder nunca el ánimo.

Empiece a trabajar con entusiasmo en la primera tarea con que se tope o que se tope con usted. Si es necesario, empréndala con todas sus fuerzas. Concentre todo su entusiasmo en ella. Analice todos sus detalles. Dedíquele todo su auténtico interés de corazón. Pero recuerde no perder nunca el ánimo.

Las personas que viven cabizbajas no tienen la menor noción del cielo donde están las estrellas. Y la persona que no amarra al menos uno o dos de sus vagones a una estrella nunca se eleva mucho. Aleje su vista del piso. Mire hacia el futuro.

No pierda nunca el ánimo.

Ya que, después de todo, triunfar es algo que se nos da hoy y mañana no. Ningún otro hombre puede triunfar ni triunfará por usted. Ningún otro hombre en el mundo, sin importar cuán elevado esté, tiene la habilidad y el poder que se encuentran concentrados en usted esperando que algún cerillo de acción los encienda y los haga estallar. Además, su éxito no puede ser el mismo que el de otro hombre, sino que sólo usted debe encontrar la cosa y HACER el trabajo. Puede ser muy divertido siempre y cuando usted no pierda nunca el ánimo.

Es más fácil triunfar que fracasar. Todo el mundo se pone del lado del ganador. Y el fracasado camina solo.

No pierda nunca el ánimo.

Y recuerde que triunfar es hacer bien su trabajo el día de hoy. Las cosas que se dilatan o se postergan son las que nunca se hacen. Comience ya mismo. Enderece los hombros. Ponga la vista hacia el futuro. Apriete los puños, cierre la mandíbula y...

No pierda nunca el ánimo.

De ese modo logrará TRIUNFAR.

*La razón por la que vencí a los austriacos es que éstos
desconocían el valor de cinco minutos.*
—Napoleón Bonaparte, 1769-1821

Como si se pudiera matar el tiempo sin lastimar a la eternidad.
—Henry David Thoreau, 1817-1862

*Si ama la vida no malgaste su tiempo,
ya que sólo de tiempo se compone la vida.*
—Benjamin Franklin, 1706-1790

*El éxito no requiere mucho conocimiento acerca de algo sino
el uso persistente de cualquiera que sea el conocimiento que
uno tiene. Las personas exitosas se conocen a sí mismas, no
como creen ser, sino como las han formado sus costumbres. Por
lo tanto, debe hacer un inventario de sí mismo para descubrir
dónde y cómo está utilizando su tiempo. Éstas son las preguntas
importantes que requieren devota atención.*
- *¿Cómo está empleando su tiempo?*
- *¿Cuánto de su tiempo está desperdiciando
y cómo lo está haciendo?*
- *¿Cómo pondrá fin a esta existencia disipada?*
—Napoleon Hill, 1883-1970

El tiempo

*A*prenda a usar su tiempo.

Ya que si no lo hace, éste seguirá su paso para nunca volver, con fría indiferencia ante su aflicción y su arrepentimiento. De la misma manera firme, silenciosa y calma en que avanza la Tierra en su camino, lo hace el tiempo. Nunca se detiene a atarse los cordones. Nunca aguarda.

El tiempo es esfuerzo aprovechado al máximo cada día.

El tiempo no posee ningún negocio, no se jacta de los millones de los adinerados, no contrata mensajeros de piernas largas para enviar sus recados, no alberga oficinistas, no piensa en problemas, no gobierna ningún estado. El tiempo ES el negocio, el dinero, el mensajero, el oficinista, el problema y el estado.

El tiempo no es más que el hombre en el trabajo puesto en acción para realizar su labor.

Y el tiempo empleado para sacar ventaja hoy acumulará poder para usted mañana con la misma certeza que el tiempo pasa. No reflexione sobre trivialidades. Intente hacer cosas grandes. Recuerde que...

Este día no volverá a amanecer.

Y sin embargo, así como es de poderoso el tiempo, inestimable en comparación con cualquier otra cosa en el mundo, el tiempo es la cosa más libre que existe. Quizá ésa es la razón por la que muchos no logran aprehenderlo con ahínco y con entusiasmo. Tal vez es por eso que muy pocos advierten su presencia y lo dejan pasar...

Reflexione. No importa cuál es su trabajo hoy, si vale la pena de algún modo. Permítase el tiempo para planearlo, tiempo para hacerlo bien y tiempo para terminarlo; es el obsequio más preciado de su día y su trabajo más grandioso.

Aprenda a usar su tiempo.

Sólo existe una clase de éxito:
poder vivir la vida a la manera de uno.
—Christopher Morley, 1890-1957

El éxito es sencillamente una cuestión de suerte.
Pregúnteselo a cualquier persona fracasada.
—Earl Wilson, 1934-2005

Recuerde siempre que su propia determinación de
lograr algo es más importante que cualquier otra cosa.
—Abraham Lincoln, 1809-1865

Sólo los que continúan intentándolo
logran alcanzar y conservar el éxito.
—Napoleon Hill, 1883-1970

Muchas personas creen que el éxito material es el resultado
de "oportunidades" favorables . . . La única "oportunidad"
en la que alguien puede confiar es la "oportunidad" que
se consigue por el propio esfuerzo. Estas oportunidades se
presentan mediante el uso de la perseverancia. El punto de
partida es conocer con certeza nuestro objetivo.
—Napoleon Hill, 1883-1970

El éxito

*P*ara el éxito, una derrota es sólo un incidente. Los obstáculos, los tropiezos y la frustración de los ideales son cosas que se entretejen hasta formar el atuendo del éxito. Ya que el éxito es una serie de fracasos puestos en fuga.

Aprenda a dejar atrás el pasado.

Hace algunos años un joven trabajaba tras un mostrador de Nueva York como oficinista. Era callado, honesto, fiel, y sin embargo a los ojos de su empleador era un fracasado. Un día éste habló a solas con el padre del joven y le aconsejó que su hijo regresara a su granja porque nunca se convertiría en comerciante. Si hoy camina por State Street en Chicago, podrá contemplar el monumento a este joven, un tributo a los fracasos, las decepciones y la perseverancia de hierro de Marshall Field, que murió siendo considerado el comerciante más extraordinario del mundo.

Aprenda a dejar atrás el pasado.

Pero recuerde que el éxito no se mide según bienes tangibles. Lincoln dejó un legado casi inexistente desde el punto de vista económico. Sin embargo, su éxito es la maravilla y la inspiración de todas las épocas.

Aprenda a dejar atrás el pasado.

El éxito es en gran medida una cuestión de perspectiva personal. Es imposible fracasar constantemente si uno está decidido a triunfar. Por lo tanto, permita que cada nuevo día de su vida se pase factura a sí mismo. Permítale marcar juntos los fracasos con los éxitos, permítale marcar el registro sin hermosearlo. Pero dentro de su propia conciencia, no permita que nada quite de la imagen de su mente el conocimiento de que el verdadero éxito consiste plenamente en sacrificarse en forma pasajera en fracasos repetidos y que puede conquistar este éxito en forma permanente realizando acciones meritorias.

Aprenda a dejar atrás el pasado.

Un buque en el puerto está a salvo.
Pero no es para eso que se inventaron los buques.
—John A. Shedd, 1859-1928

Los tres enemigos que tendrá que vencer
son la indecisión, la duda y el miedo.
El miedo no es más que un estado de ánimo y todo estado
de ánimo está sujeto al control y al encaminamiento.
El hombre no puede crear nada que no conciba
antes en forma de impulso o pensamiento.
La naturaleza ha dotado al hombre con el control
absoluto sobre todo excepto una cosa: el pensamiento.
—Napoleon Hill, 1883-1970

ATREVERSE

*L*a inmortalidad no es más que una cuestión de determinación. La determinación de atreverse. Emprenda, atrévase.

Todo el mundo ama al hombre que no teme atreverse, al hombre deseoso de comenzar algo sin antes esperar una semana para calcular los costos. Siempre requiere coraje, a veces acompañado de "mano dura". Pero los hombres dispuestos a atreverse son los creadores de los grandes acontecimientos.

Emprenda, atrévase.

Más vale cometer errores, más vale tropezarse pero avanzar a paso atinado, que temer al fracaso o cohibirse o titubear y volverse flácido de piernas. Conviértase en un hombre que se atreve y hace y los poderes que están latentes en cada ser humano se elevarán para ayudarlo a avanzar.

Emprenda, atrévase.

Nunca será nada, a menos que se atreva a algo.

Emprenda, atrévase.

Atrévase a emprender cosas nuevas. Atrévase a intentar nuevos trabajos. Atrévase a avanzar, dejando de lado los precedentes si es necesario, y no tendrá tiempo para quitar de su camino las esperanzas hechas añicos y los sueños muertos. Atrévase a ser una persona en su actual tarea mejor que la persona que estuvo antes que usted. Atrévase a ser un hombre más grande que el hombre que está por encima de usted. Sea. Pero si es, antes deberá emprender, atreverse.

*Nuestras dudas son traicioneras y nos hacen perder
lo bueno que a menudo podríamos conseguir
haciéndonos temer al intento.*
—William Shakespeare, 1564-1616

*Los que dudan no son los que forjan. Si a Colón le hubiera
faltado confianza en sí mismo y fe en su propio juicio, tal vez
nunca habría sido descubierto el rincón más rico y glorioso
de la tierra, y estas líneas tal vez nunca habrían sido escritas.
Si George Washington y sus compatriotas de renombre
histórico de 1776 no hubieran tenido Confianza en sí
mismos, habrían sido victoriosas las fuerzas de Cornwallis
y los Estados Unidos de América hoy estarían gobernados
desde una pequeña isla tres mil millas al Este.*
—Napoleon Hill, 1883-1970

LA COLUMNA VERTEBRAL

*E*xisten dos tipos de columna vertebral: la que tiene huesos y la que tiene huesos y nos sirve de pilar. Cuántas cosas grandes se han logrado en su nombre.

Ponga tiesa su columna.

Es grandioso tener un gran cerebro, una imaginación fértil y elevados ideales. Pero el hombre que cuenta con ellos, despojado de una buena columna vertebral que los cimiente, no conseguirá servir a ningún fin útil.

Ponga tiesa su columna.

Existe una pequeña enredadera que crece en la base de grandes árboles. Se trepa y se enrolla alrededor de los árboles a los que se aferra hasta oprimirlos y extraer su savia, y así les causa la muerte. Esta enredadera no posee una columna; no cuenta con ninguna fuerza individual vital propia, por eso busca destruir y matar ahí donde exista fuerza, poder y vida. Eso es lo que hacen las personas sin columna.

Ponga tiesa su columna.

Úsela para resistir en pie por su cuenta. Úsela para reforzar sus propios recursos individuales. Úsela para fortalecer columnas más débiles que la suya. Úsela para forjar su carácter íntegro. Luego las acciones realizadas se reunirán a su alrededor formando batallones y la oportunidad estará cerca, ansiosa de presentarlo a sus amigos.

Ponga tiesa su columna.

Utilice su columna hoy en su trabajo; usted que es oficinista, usted, cuyos dedos golpean duramente las teclas de la máquina de escribir, cuya mente formula planes, distribuye detalles y domina los problemas. Porque el espíritu del éxito se apoya en los brazos fuertes de los hombres y mujeres que poseen una columna y la usan.

La verdad es la siguiente: Al hombre se le paga,
no meramente por lo que sabe, sino en especial
por aquello que hace con lo que sabe, o con
lo que puede hacer que los demás hagan.
—Napoleon Hill, 1883-1970

He observado que los hombres con estudios universitarios
que tienen la costumbre de hacer más de lo que se les
paga para hacer y que combinan sus estudios con las
ventajas que obtienen de esta costumbre, se abren camino
con éxito mucho más rápido que los hombres que hacen
más de lo que se les paga por hacer pero que carecen
de estudios universitarios. De esto concluyo que existe
cierta cantidad de disciplina mental que se adquiere de los
estudios universitarios que los hombres sin estos estudios
generalmente no poseen.
—Napoleon Hill, 1883-1970

Es fácil poner en la perspectiva correcta la cuestión
de la paga si se dedica tiempo a leer la Teoría de la
Compensación de Ralph Waldo Emerson.
—Don M. Green,
Director ejecutivo Napoleon Hill Foundation

LA PAGA

$\mathcal{E}$merson dice que "el hombre más fuerte del mundo es aquel que permanece más solo". Adeude dinero, esté en deuda, y estará al lado del sostén que han ganado y comprado el sudor de la frente de otro hombre y el cerebro de otro hombre. Usted no hace las cosas sin ayuda. Está engañando a su propia fortaleza.

Desdeñe la deuda. Pague.

La deuda implica deber, deber a alguien más. Significa renunciar a lo que podría ser suyo. Significa que usted pone una parte suya a la venta por determinada suma. Cuando alguien debe dinero, se convierte en un esclavo. Los demás lo sujetan firmemente y lo mantienen en verdadera sumisión.

Desdeñe la deuda. Pague.

Más vale vivir felizmente y lejos del glamour, las palabras suaves, los aplausos y la satisfacción egoísta que ser el perro de un amo cuyo silbido se debe respetar.

Desdeñe la deuda. Pague.

La forma más rápida de perder un amigo (la posesión más valiosa sobre la Tierra) es pedirle que nos preste dinero. Si es un verdadero amigo se rehusará a hacerlo. Y si usted es un verdadero hombre aprenderá una lección y le agradecerá. El hombre que se traza el objetivo de vivir dentro de sus medios pronto crea los medios para vivir más allá de ellos. Existe una regla segura y sensata en cuestiones de dinero: pague a medida que avance, o no avance.

Desdeñe la deuda. Pague.

Comience a saldar sus deudas hoy mismo. Decídase a hacerlo. Comience a arder y entusiasmarse por la libertad y poder que afloran en el camino del hombre que no debe un centavo a ningún otro hombre.

Desdeñe la deuda. Pague.

*Existe una diferencia diminuta entre las personas, pero esa
pequeña diferencia hace la gran diferencia. Esa pequeña
diferencia es la actitud. La gran diferencia reside en si la
actitud es positiva o negativa.*
—Napoleon Hill, 1883-1970

*Al analizar nuestras acciones, debemos evitar lamentarnos
por las oportunidades perdidas y los caminos no tomados.
En lugar de eso, siga el enfoque positivo recomendado por
el difunto columnista de periódicos Arthur Brisbane, que
escribió: "Lamentarnos por el tiempo desperdiciado puede
ser un poder para bien en el tiempo que queda. Y el tiempo
que queda es suficiente si sólo abandonamos el derroche y
los lamentos inútiles que no valen la pena".
El secreto de poder corregir nuestras costumbres y comenzar
a aprovechar el tiempo que de otro modo habríamos
malgastado es permanecer jóvenes de corazón y mente sin
importar nuestra edad.*
—W. Clement Stone, 1902-2002

*Cuando alguien dijo que nosotros hacemos nuestras costum-
bres y luego nuestras costumbres nos hacen a nosotros, dijo
algo muy cierto, ya sea que se trate de una buena costumbre
como leer buenos libros a diario o hacer ejercicios con
frecuencia, o una mala costumbre como consumir tabaco.
Estos hábitos influyen notablemente en nuestras vidas, ya
sea de forma positiva o negativa, y esto es una elección que
hace cada uno de nosotros.*
—Don M. Green,
Director ejecutivo Napoleon Hill Foundation

Ser importante

$\mathcal{S}$i EXISTE la pura suerte en el mundo o si realmente cuenta alguna vez en la suma total de las cosas, éste es el momento en que más cuenta: el día que ve que su vida funciona y que hay gloria en ella. Entonces, usted es afortunado ya que tiene importancia. El mundo necesita de usted.

Sea alguien en la multitud. Sea importante.

Ningún hombre tiene importancia alguna hasta que asume responsabilidad. La responsabilidad exige el esfuerzo del cerebro y del corazón. Estos dos, trabajando juntos, engendran ideas. Y así comienzan a verse los resultados. Y los resultados hacen que usted Sea importante.

Sea alguien en la multitud. Sea importante.

Las personas útiles siempre son importantes. Por lo tanto, si desea serlo, si aspira a diferenciarse y recibir justos elogios, piense en el servicio más útil posible que pueda prestar. Y dedíquese a ello. Con certeza será importante dando su mayor esfuerzo en su trabajo.

Sea alguien en la multitud. Sea importante.

No existe nada que conmueva e inspire más que oír que uno es alguien y que cuenta, que uno es creador, forjador, hacedor. Cualquiera tiene derecho a felicitarse a sí mismo si hace cosas, si realmente es importante.

Sea alguien en la multitud. Sea importante.

Pero no sea tan insensato como para estar totalmente satisfecho con los resultados de ninguna obra. El crecimiento llega en gran medida a través de las comparaciones. Cuando hace su trabajo mejor hoy que ayer, toma conciencia de su genuina capacidad y sabe que no existe otra perfección verdadera que la perfección de hacer mejor las cosas hoy que ayer. Esfuércese por esto y no necesitará preocuparse por si será o no importante. Lo será.

Pregúntese a sí mismo: "¿Soy una persona exitosa o un fracasado?" Si es un fracasado, ninguna explicación cambiará los resultados porque lo que el mundo nunca perdonará es el fracaso. El mundo quiere éxitos, idolatra los éxitos, pero no tiene tiempo para los fracasos. La única manera de explicar el fracaso de una persona es recortar sus velas, a través de la autodisciplina, y así las circunstancias de su vida lo conducirán al éxito.

Es un grandioso día en la vida de una persona el momento en que toma asiento en silencio y tiene una conversación sincera consigo misma. Seguramente descubrirá cosas de sí que le serán muy útiles, aunque estos hallazgos puedan estremecerla. Nada se logra nunca por el solo desear, tener esperanzas o soñar despierto. Un análisis sincero de uno mismo ayuda a sobreponerse a ello. Nadie obtiene algo a cambio de nada, aunque muchos lo hayan intentado. Todo lo que vale la pena tener posee un precio determinado, y hay que pagar ese precio. Las circunstancias de la vida de cada uno hacen que esto sea esencial.

—Napoleon Hill, 1883-1970

Lo que deseamos en la vida se puede lograr si estamos dispuestos a pagar su precio. Se trate del control de nuestro peso, la seguridad financiera o cualquier meta que deseemos alcanzar. Sólo lo lograremos si pagamos el precio. Se requiere disciplina en nuestras vidas para alcanzar metas que sean dignas de nuestro tiempo y esfuerzo. Pero no espere obtener lo que desea sin pagar el precio por ello. Ésta es una lección muy sencilla pero de gran importancia.

—Don M. Green,
Director ejecutivo Napoleon Hill Foundation

¿POR QUÉ?

$\mathcal{A}$ntes de hacer algo, pregúntese: ¿Por qué?

Gran parte del movimiento perdido del mundo es el resultado de las acciones precipitadas, de emprender una tarea sin una causa, sin ningún propósito definido, sin antes averiguar por qué.

Antes de hacer algo, pregúntese: ¿Por qué?

Permita que esta pregunta lo guíe y le ahorre poder. Simplemente conteste sus cuestionamientos silenciosos con rapidez. Conceda a esta pregunta una razón importante para la fibra que existe dentro de usted.

Antes de hacer algo, pregúntese: ¿Por qué?

Pregúntese: ¿Por qué debo hacer esto? ¿Por qué debo negarme a hacerlo? Analice sus acciones con la prueba del por qué. Piense en toda la felicidad que puede traerle el uso habitual del por qué.

Antes de hacer algo, pregúntese: ¿Por qué?

Convierta este por qué en algo muy personal. ¿Por qué malgasto tanto tiempo? ¿Por qué valoro tan poco la oportunidad que se me dio de vivir? ¿Por qué uso tan poco mi capacidad de pensar? ¿Por qué no hago más amigos? ¿Por qué me preocupo por cosas que nunca suceden? ¿Por qué reprendo cuando debería alentar? ¿Por qué?

Antes de hacer algo, pregúntese: ¿Por qué?

Siempre tenga el por qué cerca de su casa. Y cuando cada día anochezca, reúna en una asamblea a los por qué de cada pensamiento y cada acción.

Antes de hacer algo, pregúntese: ¿Por qué?

Deshágase del por qué compungido. Póngase en el lugar del incesante resistir. Pregunte y responda con coraje y libertad, sin miedo al bien que se hizo a conciencia.

*Según Arch Lustberg, ex profesor disertante en la Catholic
University y actual consultor de la Cámara de Comercio de
EE.UU., una clave para la comunicación pública efectiva es
mantener "la cara abierta".*

*En su libro Winning When It Really Counts (Cómo ganar
cuando realmente importa), Lustberg señala que existen
tres posiciones faciales posibles: la cara cerrada, la cara
neutral y la cara abierta.*

*La cara que se ofrece a una audiencia puede tener una
influencia significativa en el mensaje. Las audiencias
suponen instintivamente que "se aprende muchísimo
acerca de lo que está pasando por la cabeza de una
persona por la expresión en su cara".*

*La cara cerrada es el resultado de una arruga vertical que se
forma entre las cejas, el ceño fruncido. Uno lo hace cuando
ciñe la comisura de los ojos y tensa los músculos de la frente.
Uno presenta una cara cerrada cuando piensa, cuando está
preocupado o cuando está enojado. Lustberg comenta: "Es
una expresión terrible de ver por parte de la audiencia".*

*La cara neutral parece muerta; no se mueve nada salvo la
boca. Esta mirada es común entre los locutores de televisión.
La cara neutral es fría e inexpresiva, y sin embargo, es la
expresión que más se utiliza en las disertaciones públicas.*

*En la cara abierta, se elevan las cejas y aparecen arrugas
horizontales en la frente. Lustberg señala que las personas
abren mucho la cara cuando participan en una conversación
animada o hablan a un bebé, cuando juegan con un gatito o
perrito o cuando cuentan una de sus anécdotas favoritas.*

—Napoleon Hill, 1883-1970

LAS CARAS

*L*a más maravillosa de todas las piezas de arte es la cara humana. Es insólito que de todos los miles de millones de caras que aparecieron desde que el tiempo es tiempo, no hubo nunca dos caras exactamente iguales. Es extraño también que ninguna cara permanezca igual por mucho tiempo.

La cara es la revelación del carácter. Con la misma certeza y claridad que la mano guiada por las órdenes del cerebro limpian tierras baldías, construyen grandes ciudades y esculpen en rocas la historia de los logros del hombre en forma de figuras que parecen humanas, el cerebro y el pensamiento del hombre tallan y modelan cada día el obrar secreto de sus ideales y propósitos en las líneas y la superficie de su propia cara.

Haga algo con SU cara.

La única forma de hacer algo con su cara es hacer algo con su carácter.

Las caras nunca mienten. Puede tratarse de un retrato cómico, una comedia de equivocaciones, una tragedia de Shakespeare, una pieza de poder cincelada o un dios en ruinas, pero es cierto. Si desea conocer a su amigo, analice la historia de su cara.

Haga algo con SU cara.

Nadie iría a una audiencia pública por escribir una biblioteca entera de historias maliciosas sobre Lincoln. Su maravillosa cara las contradeciría a todas. Para saber qué tipo de persona es alguien, analice su cara. Su carácter será anunciado en forma de tonos de trompeta. Pope dijo que el estudio apropiado del género humano era el hombre. Pero la forma de estudiar al hombre es estudiar su cara. No cometa la imprudencia de intentar "pagar una fianza" por su propia cara. No podrá. Más le vale comenzar a unirse más a ella. Es su bien más preciado, ya que ningún hombre puede quitársela. Por lo tanto, tome conciencia ahora de que su tarea más importante todos los días es:

Hacer ALGO con SU cara.

Las alturas alcanzadas y mantenidas por grandes hombres no se lograron con un vuelo repentino. Estos hombres se esforzaron hasta bien entrada la noche mientras sus compañeros dormían.
—Henry Wadsworth Longfellow, 1807-1882

Emerson dijo una vez: "Haz lo que debas hacer y tendrás el poder". Nunca expresó un pensamiento más cierto que éste. Más aún, se aplica a todo cometido y a toda relación humana. Los hombres que adquieren y mantienen poder lo hacen convirtiéndose en útiles para los demás. Toda esta plática de que los hombres consiguen buenos trabajos con el "tire" es absurda. Un hombre puede procurar un buen trabajo a través del "tire", pero créame cuando digo que si permanece en el trabajo será gracias al "empuje". Y cuanto más de eso dedique a su trabajo, más alto llegará.
—Napoleon Hill, 1883-1970

LA RESPONSABILIDAD

*U*n gran hombre llamado Ansalus de Insulis–recuerde este nombre– escribió una vez estas maravillosas palabras: "Aprende como si fueras a vivir para siempre; vive como si fueras a morir mañana".

Sea responsable, en primer lugar, ante usted mismo.

La responsabilidad es algo que todos debemos afrontar y que nadie puede escapar. Comienza con el niño en la cuna. Y nunca termina. Porque la responsabilidad del hombre se perpetúa incluso después de que su tarea como persona se acaba. Los hombres realizan grandes hazañas. Éstas viven en páginas impresas y su influencia continúa mientras haya vida en el mundo.

Sea responsable, en primer lugar, ante usted mismo.

La responsabilidad individual es lo que hace al hombre. Sin ella el hombre no existe. Recuerde: debe cumplir con sus responsabilidades ante su empleador, ante su amigo o en su hogar, pero su responsabilidad primera es consigo mismo. Y si es endeble y falso consigo mismo, si vacila en hacer las cosas que significan su vida misma y su éxito, usted ya es un fracaso.

Sea responsable, en primer lugar, ante usted mismo.

Luego SIENTA su responsabilidad. Nadie que crea que algunas cosas dependen sólo de él es un inútil. Cuando lea este pequeño sermón, tómelo muy en serio. No tema al menos intentar mayores cosas. Convénzase de que tiene valía y que puede probarlo, y las tareas del momento clave se encargarán de usted y lo elevarán en importancia y riqueza, las cuales son la recompensa de tener el coraje de aceptar la responsabilidad y cargar con ella. Pero recuerde:

Sea responsable, en primer lugar, ante usted mismo.

*La única felicidad verdadera proviene de entregarnos
por entero a un propósito.*
—William Cowper, 1731-1800

*La felicidad y la paz espiritual del hombre dependen
de que comparta con otros todo tipo de riquezas.
Las relaciones comerciales no se pueden describir
debidamente como una relación de amor entre vendedor
y comprador; no obstante, cuando en la relación entra
en juego la idea de servicio a un semejante, también
entra en juego mucho de lo que es rentable para ambas
partes. Henry Ford comentó: "Un poco de mí va a cada
automóvil que sale de nuestras líneas de montaje, y
pienso en cada automóvil que vendemos, no desde el
punto de vista de la ganancia que nos reditúa, sino desde
el punto de vista del útil servicio que puede ofrecer al
comprador". Thomas A. Edison dijo: "Nunca perfeccioné
una invención en la que no pensara en términos del
servicio que podría brindar a los demás".*
— Napoleon Hill, 1883-1970

La felicidad

$\mathcal{L}$a Felicidad es la Amabilidad que desborda. La felicidad es también entrar en armonía con la música de la banda de los que viven al aire libre. No existe la desdicha en la naturaleza.

Eche una mano a los demás. Convierta a la felicidad en costumbre.

Las personas felices son aquellas que tienen éxito, no sólo en el plano del dinero, sino en satisfacción, objetivos realizados y esfuerzos consumados. A fin de triunfar, sea feliz. Para ser feliz, haga algo que valga la pena.

Eche una mano a los demás. Convierta a la felicidad en costumbre.

La empresa que crece con más rapidez es la que cuenta con más colaboradores felices. La felicidad otorga salud. La salud labra el terreno de las capacidades naturales y prepara la tierra para la cosecha feliz.

Eche una mano a los demás. Convierta a la felicidad en costumbre.

La felicidad no se puede comprar. Considerada de todas las cosas la más preciada, es al mismo tiempo un bien gratuito. Es para todos. Pero deben reunirse esfuerzos para tomarla. Y una vez que la tenga, si desea conservarla debe obsequiarla.

Eche una mano a los demás. Convierta a la felicidad en costumbre.

Porque a lo que se reduce la felicidad es ni más ni menos que a contentarnos con nuestro progreso buscando mejores cosas todo el tiempo, contentarnos por estar vivo, agradeciendo a Dios tener una oportunidad, creyendo que uno tiene algunas cosas que nadie más en el mundo tiene y simplemente decidiendo que uno convertirá este mundo en un lugar maravilloso donde permanecer algún tiempo. También significa poseer algo que todos los demás querrán y otorgarlo a los demás.

Maneje sus asuntos o ellos lo manejarán a usted.
—Benjamin Franklin, 1706-1790

Si uno presta más y mejor servicio que por el que a uno le pagan, saca provecho de la Ley de Devolución Incrementada. Y a través de ésta, con el tiempo se lo compensará con una paga por un servicio mayor al que realmente prestó.
—Napoleón Hill, 1883-1970

Brindar un mejor servicio que los demás le brindará liderazgo en su campo. Puede que los resultados no sean visibles al día siguiente, en una semana o en un mes, pero ofrecer un mejor servicio durante un período de tiempo le dará dividendos. No importa el trabajo que realice; sea camarero o banquero, sus esfuerzos no permanecerán sin recompensa por mucho tiempo...
La Ley de la Compensación es tan natural y tan confiable como la Ley de la Gravedad.
—Don M. Green,
Director ejecutivo Napoleon Hill Foundation

El servicio

Servir es hallar algo que hacer y luego hacerlo. No importa lo que sea este algo, mientras sirva para un fin útil.

Honre su trabajo.

El hombre o la mujer más importante que vivió alguna vez no fue de ningún modo más importante que un sirviente, de una manera u otra. El mundo es un mundo de sirvientes. Usted es un sirviente. La persona a la que sirve es un sirviente.

Honre su trabajo.

Un hombre es en proporción tan importante como el más importante si sirve en su capacidad máxima. Hacer esto es crecer. Y el crecimiento sólo llega a las personas con capacidad. Si uno hace lo mejor posible hoy, lo hará mejor mañana. El servicio no tiene límites.

Honre su trabajo.

Ninguna ocupación es tan digna como el servicio de cualquier tipo. Nada conlleva mayores recompensas en forma de felicidad y poder. Aquel que ayuda a subir a los demás es el que más alto asciende.

Honre su trabajo.

El hecho más cierto en este mundo es que cuanto más uno hace por otra persona, más se impulsa el propio juego y más fuertes se vuelven la influencia individual y el carácter de uno mismo. Imagine que lo intenta hoy mismo y aprenda por usted mismo. Inténtelo en casa, en la oficina, en su lugar de poder o en medio de la circunstancia más humilde. Sea un verdadero sirviente. Sirva. Y conténtese en hacerlo.

Honre su trabajo.

Y al hacerlo conviértase en uno de los actores en los acontecimientos emocionantes de su época.

Las ideas son los únicos bienes que carecen de valores fijos. Todos los logros nacen como ideas. El Curso de la Ciencia del Éxito está pensado para inspirar un caudal de ideas en su mente. Apunta a introducirlo a su otro yo, el yo que tiene conciencia de sus poderes espirituales innatos. El yo que no aceptará ni reconocerá el fracaso, sino que avivará su decisión de ir adelante y exigir aquello que es legítimamente suyo.

Las ideas constituyen los cimientos de todo destino y el punto de partida de todas las invenciones. Han conquistado el aire que está sobre nosotros y las aguas de los océanos que nos rodean. No puede existir la evolución de ninguna idea sin un punto de partida en forma de propósito seguro. Por lo tanto, este principio toma la primera posición en la filosofía de los logros personales:
—Napoleon Hill, 1883-1970

El autor Orison Swett Marden escribió que debemos construir castillos en el aire antes de poder construir castillos sobre la tierra. Napoleon Hill escribió que los pensamientos son cosas. Dijo lo mismo que Marden: todo comienza en nuestro proceso mental.
—Don M. Green,
Director ejecutivo Napoleon Hill Foundation

La imaginación

La imaginación es el mayor bien que los hacedores del mundo han tenido alguna vez. El dinero, los títulos y los estados son baratijas al lado de este don maravilloso. La mayoría de las veces, la imaginación es la creadora de todos ellos.

Cultive su imaginación.

Las personas hacen las cosas que antes ven hechas en su imaginación. Con los ojos de su imaginación, McAdoo vislumbró rápidos automóviles llevando miles de personas bajo el río Hudson. Desde luego, la gente volvía la cabeza y sonreía ante su sueño. Pero McAdoo convirtió su sueño en realidad en los túneles de Hudson. Marconi tuvo la visión de mensajes de personas distantes a miles de millas flotando en las ondas del aire y captadas en un instrumento maravilloso. Se lo tildó de loco en el acto. Pero él siguió adelante y presentó ante un mundo atónito el increíble telégrafo inalámbrico. La gente llama a los Estados Unidos la "tierra de la oportunidad". Es la tierra de la imaginación. Aquí el hombre más humilde asciende a la posición de poder más importante. La labor de la imaginación es lo que más contribuye a esto. El recóndito oficinista se ve presidente de la empresa a la que sirve. Así avanza paso a paso hasta hacer realidad su meta. Su primer paso hacia el puesto de presidente fue verse a sí mismo en su imaginación ocupando ese puesto.

Cultive su imaginación.

El gran Perthes dijo una vez que "una ávida imaginación es uno de los pilares de la vida terrenal, y sin ella la naturaleza no es más que un esqueleto. Pero cuanto más extenso este don, mayor será la responsabilidad".

Cultívela en las pequeñas cosas. Luego las pequeñas cosas se convertirán en grandes cosas. Y más tarde las grandes cosas tomarán su lugar entre las cosas eternas. La historia no es más que la historia de los logros de las personas que tuvieron imaginación.

Cultive su imaginación.

Puede que los hombres duden de lo que uno dice,
pero creerán lo que uno haga.
—Lewis Cass, 1782–1866

Defina que ese algo puede hacerse y se hará,
y luego encontraremos la forma.
—Abraham Lincoln, 1809-1865

La naturaleza ha dotado al hombre con el control
absoluto sobre todo excepto una cosa: el pensamiento.
Este hecho, sumado a la circunstancia adicional de
que todo lo que crea el hombre comienza en forma de
pensamiento, nos conduce muy cerca del principio por el
cual puede dominarse el miedo.
Es cierto que todo pensamiento tiende a cubrirse con
su equivalente físico (y esto es cierto, más allá de toda
posibilidad de duda), y es igualmente cierto que los
impulsos mentales de miedo y pobreza no pueden
traducirse en términos de coraje y ganancia financiera.
—Napoleon Hill, 1883-1970

Los fantasmas

No hay nada en los fantasmas. Pero existen. Los fantasmas no son ni más ni menos que las imaginaciones de espectros de las mentes enfermizas o temerosas. Reciben varios nombres: fantasmas del fracaso, fantasmas de las ideas, fantasmas de los errores, fantasmas de la oportunidad, fantasmas del arrepentimiento y millones de otras denominaciones.

Haga frente a sus fantasmas.

Camine hacia ellos. Dése las manos con ellos. Mírelos a los ojos. Concédales una audiencia. Y luego deshágase de ellos, porque nunca le harán ningún bien.

Haga frente a sus fantasmas.

Los fantasmas están siempre en el trabajo. En el consultorio del médico, la oficina del abogado, el hombre de negocios, en casa, en la calle. En todas partes. Pero los fantasmas se ponen incómodos en la luz. Nacen y se crían en oscuros callejones y sólo existen junto al saco del engaño. La clave es mantener las luces encendidas, su mente abierta, su coraje alerta y su carácter impenetrable.

Haga frente a sus fantasmas.

Cuando hoy lea los periódicos habrá fantasmas entre las líneas impresas. Los fantasmas están al acecho y a cada instante intentan doblegarlo. Les agradan las personas que pierden el tiempo, los hombres sin iniciativa que temen a su trabajo. Se regocijan entre las personas dedicadas a la pereza de la buena camaradería. Pero los fantasmas se escabullen como perros atemorizados con el rabo entre las patas ante la visión de las personas de acción, las personas que aprovechan el tiempo, las personas que vencen obstáculos y las personas que allanan el camino. No tema a los fantasmas.

Hágales frente. Pero no los cobije. Los hombres robustos de carne y hueso no pueden arrastrar muchos fantasmas y no llegar a nada. Haga frente a sus fantasmas.

Cuando me acerco a un niño, éste inspira en mí dos sentimientos: afecto por lo que es y respeto por lo que puede llegar a ser.
—Louis Pasteur, 1822-1895

Es inevitable que la gente a la que no le agraden los demás despertará antipatía. Por el principio de telepatía, todas las mentes se comunican con todas las demás mentes dentro de su alcance. La persona que desee cultivar una personalidad atractiva está bajo la constante necesidad de controlar no sólo sus palabras y sus acciones sino también, ciertamente, sus pensamientos.
—Napoleon Hill, 1883-1970

El respeto

*R*espeto es el nombre del compañero que vigila la puerta por su conciencia. Es el cargo más sagrado en el don de su carácter. Ya que cuando éste se desvía del buen camino, la conciencia enferma y muere.

Triunfar no tiene ninguna importancia si ya no existe el respeto.

El respeto es su más fiel amigo, su mayor guía, su protector más poderoso y su práctico más seguro a la hora de atracar.

Triunfar no tiene ninguna importancia si ya no existe el respeto.

Y el respeto se labra en casa. Usted es su propio respeto, dado que un hombre no puede llevarse mejor con nadie más que con su propio yo. El hombre sin respeto es una farsa, un fraude, una ficción.

Triunfar no tiene ninguna importancia si ya no existe el respeto.

Respétese a sí mismo y los demás se verán obligados a respetarlo, y usted también los respetará. El respeto es el punto de partida hacia la sabiduría. Con el respeto en guardia, puede mirar a los demás a los ojos con sinceridad y sin titubear. Con el respeto, activo y sin temor, puede avanzar y deshacerse de los desperdicios y de los obstáculos y allanar el camino para que los demás puedan transitarlo y sacar provecho.

Triunfar no tiene ninguna importancia si ya no existe el respeto.

Reflexione sobre esto a medida que avance el día de hoy. Permítale que lo fortalezca. Permítale hacerlo invencible. Permítale elevarlo de su actual posición a una más alta. Permítale que lo convierta en un líder. Porque...

Triunfar no tiene ninguna importancia si ya no existe el respeto.

El liderazgo es una poderosa combinación de estrategia y
carácter. Pero si debe arreglárselas sin alguno de los dos,
renuncie a la estrategia.
—Gen. H. Norman Schwarzkoff

Éste es un rasgo de la personalidad para el cual no se
ha encontrado nunca un sustituto aceptable, ya que es
algo que se adentra en lo profundo del ser humano más
que la mayoría de las cualidades de la personalidad. No
obstante, la sinceridad comienza con uno mismo y es un
rasgo de carácter firme que se refleja en forma tan visible
que nadie puede dejar de advertirlo. Sea sincero en
primer lugar consigo mismo; sea sincero con aquellos con
los que está emparentado por lazos de familia; sea sincero
con sus colegas cotidianos en su ocupación; sea sincero
con sus amigos y conocidos y desde luego, con su país.
Y por sobre todas las cosas, sea sincero con el Aquel que
confiere todos los dones a la humanidad.
—Napoleon Hill, 1883-1970

El espíritu de Lincoln

El hombre es siempre más grande que cualquier cosa grande que haya hecho. Ningún hombre podrá nunca crear algo mayor que su propio carácter. Tomemos un sencillo ejemplo: Lincoln. Para la humanidad, Abraham Lincoln es infinitamente mejor que el Presidente Lincoln, y a medida que pasan los años, sus magníficas cualidades penetran cada vez más profundo en las acciones más íntimas de los pueblos y las naciones del mundo.

Aplique el espíritu de Lincoln a su trabajo.

Las reglas de obrar que guiaron a Lincoln eran las reglas del sentido común y de la humanidad. No estaban adornadas con nada. No estaban camufladas con atavíos y cargas adicionales de ningún tipo. Las personas de más simple pensamiento comprendieron de inmediato las justas decisiones y conclusiones de Lincoln. La mejor inversión que puede hacer cualquier casa de negocios es reunir las sencillas reglas de conducta que guiaron a Lincoln e imprimirlas, enmarcarlas y colgarlas frente a todos sus empleados.

Aplique el espíritu de Lincoln a su negocio.

Cuando Lincoln ascendió al General Hooker le dijo que lo hacía a pesar de sus evidentes defectos, enemigos, arrogancia y muchas otras cosas. Lincoln reconoció las altas cualidades de liderazgo de Hooker y no se dejó cegar por sus defectos. Siempre veía las cosas buenas en los hombres. Conocía a Grant incluso antes de haberlo conocido. Apreciaba a los hombres por sus acciones. Para él, los resultados reflejaban al hombre.

Aplique el espíritu de Lincoln a su juicio.

Lincoln era justo. Lincoln era generoso. Lincoln era honesto. Lincoln era magnánimo. Lincoln era modesto. Lincoln era amable. Lincoln era fuerte.

Aplique el espíritu de Lincoln a sus ideas.

Uno de los más grandes líderes de la historia manifestó el secreto de su liderazgo en ocho palabras: "La benevolencia es más poderosa que la coerción".
—Napoleon Hill, 1883-1970

Una personalidad agradable no implica mantener las apariencias. Sólo se puede lograr adoptando actitudes y costumbres que todos necesitan. No se perderá en la nueva personalidad que forje; más bien se definirá a sí mismo (a su yo exitoso) en términos de precisamente qué y quién aspira ser.
—Napoleon Hill, 1883-1970

LA SINCERIDAD

Sea sincero.

Ya que ésa es la marca que imprime y distingue su carácter de modo que sea auténtico de inmediato.

Sea sincero.

Nadie confía en el hombre que no confía en sí mismo. Sea sincero. Mire a los demás a los ojos con honestidad y confianza, y ellos confiarán en usted.

Sea sincero.

La falta de capacidades y conocimiento muchas veces se perdonan. Pero nunca la falta de sinceridad. Sea sincero. Muéstrele al mundo de una vez por todas que es honesto y sincero, y el "orden de los negocios" se moverá para usted con suavidad y satisfacción.

Sea sincero.

La sinceridad es más que el dinero. De la misma forma en que el imán atrae hacia sí y agrupa partículas de acero hace el hombre que considera la sinceridad como su bien: atrae a los demás, atrae oportunidades y grandes obras a su historia de vida.

Sea sincero.

No se angustie si ayer fue un fracaso. El día de hoy le hace frente. Pruebe un nuevo instrumento. Tense nuevas cuerdas para una nueva melodía. Aférrese a una nueva fuerza, sea sincero. De ese modo este día distará mucho de haber pasado en vano.

Sea sincero.

Nunca se dé por vencido. Nunca. Nunca. Nunca. Nunca.
—Winston Churchill, 1874-1965

Cuando satura su mente con ideas de éxito, la perspectiva
del fracaso se vuelve desagradable. Pero todo el mundo
experimenta fracasos, algunos grandes, otros pequeños.
Lo que distingue a aquellos que a la larga cumplen sus
sueños de aquellos que se tropiezan y dejan la carrera es
la capacidad de aprender lecciones importantes de lo que
Shakespeare llamó "las adversidades de la vida".
Aunque pueda parecer irónico que una filosofía del éxito
elogie la importancia del fracaso, éste debe considerarse
una experiencia vital, una experiencia que puede servir
de base para el logro decisivo de grandes cosas. Lo que
más importa cuando se sufren fracasos no es la magnitud
de la pérdida, sino la capacidad de analizarlos y aprender
de lo que puedan enseñarnos.
—Napoleon Hill, 1883-1970

Si está esforzándose por alcanzar una meta meritoria
y está a punto de rendirse, tómese unos minutos para
reflexionar. Lea la historia de Thomas Edison y la
bombilla de alumbrar. Lea la biografía de Helen Keller y
esto lo inspirará a continuar con su camino.
—Don M. Green,
Director ejecutivo Napoleon Hill Foundation

CAVAR

Cave.

Cave bien cuando se tope con cada obstáculo. Luche por mantener la dignidad de su voluntad. Excave, ábrase paso, exprima y sude. Logre pasar.

Cave.

La gota de agua persistente pero frecuente puede desgastar la piedra más resistente. La ciencia dice que el paso rítmico y constante de un ejército tiene el poder de precipitar la caída del puente más firme. De manera similar, el esfuerzo acometedor puede lograr cualquier cosa en cualquier lugar. Para sostener esa creencia, comience hoy mismo a cavar.

Cave. ¿Ve que su compañero obtiene resultados en abundancia? Cave. ¿Ayer le fue imposible lograr muchas cosas? Cave. ¿Desea dinero, fama o gloria? Cave. ¿Lo acecha la bancarrota mental, moral o financiera? Ignórelas. Simplemente...

Cave.

El éxito no es algo que se hereda. Para lograrlo debe cavar.

Cave.

Todo hombre o mujer que alguna vez triunfó en algo sabía cómo cavar. Es la primera letra del alfabeto del hacer. No importa QUÉ es lo que desea o DÓNDE o CUÁNDO lo desea, antes debe saber cómo cavar. De lo contrario no logrará su cometido. Cave.

Cave.

*Concentrarse es enfocar la atención, el interés
y el deseo a fin de lograr un fin determinado.*
—Napoleon Hill, 1883-1970

*La concentración se define como "el hábito de establecer
en la mente una meta, objetivo o propósito determinado
y visualizarlo hasta que se hayan creado formas y medios
para su concreción".*
*El principio de la concentración es el medio por el cual
se superan las postergaciones. El mismo principio es el
cimiento sobre el cual se vaticinan tanto la confianza en sí
mismo como la autodisciplina.*
*La Ley de la costumbre. El principio de la costumbre
y el principio de la concentración son uña y carne. De
la concentración puede originarse la costumbre y de la
costumbre puede originarse la concentración.*
—Napoleon Hill, 1883-1970

CONCENTRARSE

*C*oncéntrese.

Con firmeza, coraje y determinación deje su impronta en las cosas. No importa cual sea esa cosa a su alcance.

Concéntrese.

La rueda de la acción y de los negocios se desplaza con giros constantes alrededor de un cubo central. En el éxito, la llanta, los rayos y el cubo se mantienen unidos fuertemente y piensan, planifican y se mueven tal cual los seres humanos.

Concéntrese.

Quien persevere obtendrá los resultados. La oportunidad se aparta de su camino para tomar la mano de quien persevera. El ojo del jefe se posa irresistiblemente en la mesa de trabajo del hombre de acción. Concéntrese.

Concéntrese.

Reúna los detalles. Proyecte el plan de su día. Procure marcar un ritmo. Haga que cuenten cada minuto y cada acción. Concéntrese. Y el trabajo terminado será la meta del día, veinticuatro horas de vida que realmente valgan la pena.

Concéntrese.

*Aprendí de la forma que aprenden
los monos: observando a sus padres.*
—Reina Isabel II

*¿Se da cuenta del poder que contiene su subconsciente,
ese poder que puede utilizar y explotar? ¿Reconoce la
fuente de poder para los logros y los éxitos que puede
obtenerse si tan sólo aúna sus recursos mentales con los
recursos ajenos para el beneficio mutuo?
El poder para todo logro, el poder que necesita
para comprender y poner en práctica la filosofía del éxito
está listo para ser empleado. El poder que necesita para
una vida productiva se encuentra en el depósito de su
propia mente.*
—Napoleon Hill, 1883-1970

*La educación es una forma de vida. Es fácil sentirse
educado cuando uno obtiene un título, pero la ceremonia
en la que se entrega un diploma justamente se conoce
como ejercicio de iniciación. Es simplemente un
comienzo, y la educación es una forma de vida.*
—Don M. Green,
Director ejecutivo Napoleon Hill Foundation

Aprender

Sea observador. No permita que nada nuevo aparezca sin antes establecer su valor, analizar su significado y comprender su enseñanza. Aprenda.

Instrúyase.

Aprenda de la naturaleza, de las personas, de los hechos. Lea el pensamiento de cada día en la medida que alcance a comprenderlo. Y luego ponga en práctica su conocimiento. Aprenda todo el tiempo de todo lo que pueda en todas partes. Analice los misterios, venza las dificultades.

Instrúyase.

Ahora mismo: un párrafo de la historia. Una palabra de John Milton. "Estoy ciego, tengo más de cincuenta años pero estoy completando 'El Paraíso Perdido'". El testimonio de Miguel Ángel. "A pesar de tener setenta años, todavía estoy aprendiendo". ¿Qué tiene para decirnos John Kemble? "Desde que dejé las tablas, he escrito Hamlet treinta veces. Recién ahora estoy comenzando a entender mi arte". Usted, que tiene ojos, orejas y una boca con que hablar:

Instrúyase.

Su trabajo actual puede parecer inútil. Puede que sólo sea "un oficinista". Y siempre lo será si no logra aprender. Ya que el camino del progreso marca el camino del hombre. Aprenda.

Instrúyase.

El liderazgo sólo llega a quienes SABEN. El conocimiento es sin duda poder. Los comensales sentados a la mesa del festín del éxito no son personas privilegiadas, sino personas que dedicaron su tiempo a aprender. De modo que si desea triunfar, debe aprender.

El hombre es lo que cree.
—Anton Pavlovich Chekhov, 1860-1904

El padre de cada acción es un pensamiento.
—Ralph Waldo Emerson, 1803-1882

Cuando Henley escribió las líneas proféticas "Soy el dueño de mi destino, soy el capitán de mi alma", debió haber señalado que somos los dueños de nuestro destino y los capitanes de nuestras almas porque tenemos el poder de controlar nuestros pensamientos. Debió habernos dicho que nuestro intelecto se magnetiza con los pensamientos dominantes que albergamos en nuestra mente y que estos "imanes" (por medios que ningún hombre conoce muy bien) atraen hacia nosotros las fuerzas, las personas y las circunstancias de la vida que combinan armónicamente con la naturaleza de nuestros pensamientos dominantes. Debió habernos advertido que antes de que podamos acumular riquezas en abundancia, debemos magnetizar nuestras mentes con un intenso deseo de riqueza; que debemos tomar plena conciencia del dinero hasta que el deseo de obtener riqueza nos impulse a crear planes definidos para lograrlo.
—Napoleon Hill, 1883-1970

Pensar

A las personas se les paga, los anhelos se realizan. El éxito llega en la medida que el hombre piensa.

Piense.

Todos los grandes hombres de acción fueron y son grandes pensadores. Piense. Los errores, la confusión y el desconcierto son visitantes poco asiduos al intelecto del hombre que piensa.

Piense.

Pero piense con un fin preciso. Sistematice sus ideas. Planifique los actos de cada uno de sus minutos, horas y días. Piense.

Piense.

Napoleón era un pensador. Durante una de las crisis de Francia lo buscaban por doquier; se lo encontró en un altillo estudiando las calles de París y pensando en sus mejores maniobras para el día siguiente. Piense.

Piense.

Sea su propio socio silencioso. Piense. Sea responsable ante su propia fuerza intelectual. Piense. Forje en el yunque de sus propias arduas batallas y fracasos las acciones que sólo pueden concretarse después de los pensamientos más rígidos y esmerados. Piense.

Piense.

Comience este día con la determinación de pensar cada acto que realizará y recuerde que los resultados más importantes y útiles vienen detrás del hombre que piensa.

*Un hombre sabio creará más oportunidades
que las que encuentre.*
—Sir Francis Bacon, 1561-1626

*Ningún gran hombre se lamenta jamás
de falta de oportunidad.*
—Ralph Waldo Emerson, 1803-1882

Si su barco no llega, nade hacia él.
—Jonathan Winters

*El éxito que llega a hurtadillas es uno de los trucos
de la oportunidad. Posee la astuta costumbre de entrar
sigilosamente por la puerta de atrás y a menudo
aparece encubierto con apariencia de infortunio
o fracaso temporal.*
—Napoleon Hill, 1883-1970

*Las oportunidades son tan abundantes hoy día
que casi todo el mundo puede seguir una profesión que
no habría existido algunos años atrás. Muchas personas
se dedican a diferentes ramas durante su vida laboral
y pueden cambiar de trabajo fácilmente y casi a voluntad
si se preparan mediante la educación
y la capacitación adecuadas.*
—Don M. Green,
Director ejecutivo Napoleon Hill Foundation

La oportunidad

La oportunidad es algo, algo Real. No es algo inexistente; no es un fantasma.

Y es algo eterno: la oportunidad existe aquí hoy y mañana. Anda rondando por momentos, horas, días, semanas, meses y años, sin ser vista ni escuchada, salvo cuando alguien siente su espíritu y se apodera de él.

La oportunidad es la mano del progreso para las personas despiertas y la "escritura en la pared" del fracaso para los aletargados y perezosos. Porque de todos los mensajeros de la luz, la oportunidad es la más paciente, la más justa y la más considerada.

La oportunidad no respeta a las personas ni las estaciones. Trabaja a cada instante y espera y espera y espera día y noche. El hombre puede caer dormido para siempre, pero la oportunidad nunca lo hará.

En este mismo momento está parada frente a USTED. Durante todo el día estará a su disposición. Transmite sus mensajes para todos de forma relampagueante, pero su solo interés es USTED.

Reflexione. ¿Qué le parece? Deténgase, observe, escuche. ¿Puede ver, oír, sentir o asir su mano? Aproveche al máximo lo que ella le depara en su día. Piense, piense, piense. Y luego ACTÚE.

Ya que la oportunidad, transformada en un hecho, es apropiarse de la tarea más sencilla a mano y concretarla en la mejor manera posible que conoce. Es no dejar pasar minutos invaluables que los demás pasan por alto por descuido. Es hacer su trabajo MEJOR que por lo que le pagan y emprender trabajos más grandes que los que usted se cree capaz de manejar.

Es grandioso el ascenso del hombre que se entabla amistad con la oportunidad tempranamente y que la lleva consigo a través de los caminos de la vida diaria.

Ésta es una cuestión sutil que la mayoría de las personas generalmente pasa por alto. Hasta que un hombre comience a prestar más servicios que aquellos por los cuales se le paga, ya está recibiendo la paga total por lo que hace. Lo triste es que de 100 asalariados, 98 carecen de un propósito definido más importante que trabajar por un jornal. Por lo tanto, no importa cuánto trabajo completen o qué tan bien lo hagan, la rueda de la fortuna les pasa de largo sin otorgarles más que un mero sustento porque no esperan ni exigen más que eso.
—Napoleon Hill, 1883-1970

El escritor Elbert Hubbard aconsejaba a sus empleados que fueran leales a su empleador o que se hicieran un favor a ellos mismos y a su empleador renunciando y buscando empleo en otro sitio. Ser leal es importante porque si un empleado carece de una buena disposición de ánimo, no rendirá ni se desarro llará. La paga que uno recibe no es por la cantidad de horas cumplidas sino por el valor de la labor realizada.
—Don M. Green,
Director ejecutivo Napoleon Hill Foundation

La lealtad

Sea leal.

Ser leal es ser honesto con uno mismo. Y no se puede ser honesto con uno mismo sin ser un buen jefe de uno mismo. El problema con las personas que fracasan es que permiten que alguien más administre su negocio. De ese modo avanza a rastras la deslealtad y envenena, absorbe y vacía la vida del hombre, alejándolo de sí mismo.

Sea leal.

Usted conoce sus propias posibilidades mejor que cualquier otra persona. Acérquese a los demás sin demora y aprenda a serles leal. Esta lealtad es una calidad que no tiene precio.

Sea leal.

El hombre leal a menudo es de todos los hombres el que es tentado por el abatimiento. Pero el hombre que se aferra a su fe y es leal es el que a fin de cuentas siente el crecimiento y el bagaje y el poder volviéndose parte de él mismo.

Sea leal.

La lealtad implica sacrificio. Pero el sacrificio significa éxito.

Sea leal.

Los pasos del logro, el honor y la satisfacción están estrechamente vinculados con la lealtad: lealtad a su trabajo y a sus amigos.

Sea leal.

Las personas capaces y dignas gozarán de los beneficios. Puede que su trabajo actual le resulte miserable o insignificante. Pero "los dioses lo ven todo" y la más mínima omisión o agravio a lo que tiene a su alcance hoy puede reflejarse y asomar en forma más grande en la tarea finalizada. La dedicación leal desde el comienzo hasta el final es el camino más seguro, más justo y más confiable al que puede aspirar. Aténgase a esto y los resultados hablarán por sí mismos.

Sea leal.

El valor se considera merecidamente la más importante
de las cualidades humanas ya que es la cualidad que
garantiza todas las demás.
—Winston Churchill, 1874-1965

En vista de que la mayoría de nosotros a menudo
aparentamos ser dos personas (o a veces más) dentro
de nuestras mentes, no es inusitado que muchos de
nosotros muchas veces estemos confundidos acerca
de quiénes o qué -y hasta qué punto- SOMOS. Hallar
nuestra verdadera identidad es un logro que no tiene
precio. No hallar jamás la individualidad es un descuido
trágico. Entrar en confianza con el ser más fino, más
poderoso y más resuelto que hay dentro de nosotros
es un reto apasionante y gratificante a la vez. Si puede
hallar y seguir los instintos de su mejor yo, todo puede ser
suyo. Su mejor yo puede ayudar a conquistar el miedo,
las preocupaciones y la indecisión. Puede conducirlo a
un mejor entendimiento del profundo poder de la vida
y puede dotarlo del poder que necesita para triunfar en
cualquier campo que anhele. Su mejor yo es su aliado
más poderoso.
—Napoleon Hill, 1883-1970

EL VALOR

*T*enga valor.

El valor es el arte de posarnos con calma en un asiento sin agitarnos ni enardecernos cuando la orquesta de la popularidad o del éxito temporal o del ridículo pasa por nuestra casa y da la vuelta en la esquina. El valor abandona la multitud. Anda solo.

El valor es el coraje innato refinado.

El valor no es intimidación ni mera rudeza, y no tiene relación con ninguna de ellas. El valor no se limita a lo físico. Por el contrario, es primordialmente algo moral.

El valor es el derecho puro que se expone al fuego y sale en una pieza sin un rasguño.

El valor es el coraje del corazón que se hace sentir en las acciones. Nunca espera a que se presenten las oportunidades; las crea.

Un día sin valor es un día que vale poco. Ya que el valor hace al hombre, y nunca existió un verdadero hombre que no tuviera valor.

El valor es algo que nace en uno, pero también es algo a lo que se saca brillo mediante el uso y la cultivación.

Hoy, mañana y todos los días: tenga valor. Hace que el corazón sea feliz y el alma fuerte. Arranca sonrisas en el sistema y estimula la circulación en el hombre que lo hace salir y dar lo mejor de sí en la más humilde de las tareas.

Nunca fracasará si tiene valor. Y jamás triunfará sin él.

Tenga valor.

Para aquel que tiene fe, no es necesaria explicación alguna. Para el que no tiene fe, ninguna explicación es posible.
—Santo Tomás de Aquino, 1225-1274

Un hecho de gran trascendencia: la mente subconsciente recibe cualquier orden que se le da en un espíritu de fe absoluta y actúa de acuerdo con esas órdenes, aunque éstas deban presentarse una y otra vez, a través de repeticiones, hasta ser interpretadas por la mente subconsciente.
—Napoleon Hill, 1883-1970

La fe en uno mismo es un salto gigante necesario si uno aspira a recorrer el camino del éxito. De lograrse los máximos resultados favorables, la convicción es una absoluta necesidad. La afirmación "Lo creeré cuando lo vea" debería ser "Lo veré cuando lo crea". Creer en lo que uno hace es de extrema importancia.
—Don M. Green,
Director ejecutivo Napoleon Hill Foundation

LA FE

*T*enga fe.

En primer lugar, tenga fe en sí mismo, luego en lo que se proponga hacer y por último en el resultado.

La fe es la capacidad de creer que ya ha triunfado antes de hacerlo. Es el arte de vencer al enemigo, los obstáculos o el plan de sus oponentes antes de que se hayan organizado en forma segura. Ya que la fe es cuidar de la victoria desde el comienzo.

Tenga fe.

Las grandes historias del éxito desde el inicio del tiempo no son más que relatos acerca de hombres y mujeres de acción que tuvieron fe. La fe nutre a los hambrientos en la adversidad, arropa y cobija a los necesitados en tiempos de fracaso pasajero. Porque la fe construye. Es indestructible.

Tenga fe.

Su éxito sólo está limitado por su fe. Los resultados de la fe son eternos. Anímese.

Tenga fe.

Las personas fracasan únicamente cuando pierden la fe. El lanzador en un juego de pelota, el soldado en el campo de batalla, el líder en política, el ejecutivo a la cabeza de una tarea o un negocio, el trabajador más humilde... Todos ellos avanzan y dan lo mejor de sí porque están inspirados por la fe. En primer lugar, porque ellos mismos tienen fe, y en segundo lugar, porque los que están a su alrededor, debajo o cerca de ellos tienen fe en ellos.

Tenga fe.

Y conviértala hoy en una parte vital de su determinación de triunfar. El trabajador más intrascendente posee tanto derecho al reconocimiento por los resultados en proporción que el hombre que da las órdenes, siempre y cuando posea y utilice toda la fe que puede reunir. Por esto, recuerde tener a mano una buena reserva de fe en todo momento. Durante todo el día, tenga fe.

Actuamos como si la comodidad y el lujo fueran las
principales necesidades de la vida, cuando todo lo
que necesitamos para ser felices es algo por lo que
entusiasmarnos.
—Charles Kingsley, 1819-1875

¿Siente entusiasmo por usted mismo? El entusiasmo
fluye y se contagia desde una mente a otra, y así es como
lo vemos en acción por lo general. Aun así... ¿alguna vez
ha intentado entusiasmarse por usted mismo?
¿Dejando algo detrás?
Puede resultar muy divertido y aleccionador dar
ese paso detrás de uno mismo, como dando un paso
fuera de la propia piel de uno, y luego mirar
a la persona que lleva su nombre.
—Napoleon Hill, 1883-1970

Ralph Waldo Emerson dijo una vez que nunca
se logró nada grande sin entusiasmo.
Si desea lograr algo que valga la pena, elija algo
que pueda entusiasmarlo y emprenderá su camino
con un grandioso comienzo.
Muchas personas escogen un camino para complacer a los
demás o para amasar fortunas. Una mejor apuesta sería
emprender una búsqueda que le genere entusiasmo.
—Don M. Green,
Director ejecutivo Napoleon Hill Foundation

aquí

El entusiasmo

*E*ntusiasmo es aquello que le sucede al hombre cuando mientras evalúa la situación descubre que su corazón y su mente y su determinación finalmente se han fundido en uno y se han convertido en parte de la "oportunidad principal".

El entusiasmo es un proceso, no simplemente un estado.

La mayoría de las personas poseen una cabeza y un corazón y determinación. Pero son aquellas que cuentan con el suficiente juicio para aunarlas en el mismo lugar al mismo tiempo y para un mismo fin las que emprenden cosas y continúan marcando el progreso de todos los tiempos.

El entusiasmo es la chispa que enciende la acción que moviliza al hombre que encuentra las vacas y las lleva a su hogar. El entusiasmo es eso que hace que un hombre "llegue al lugar".

Procure entusiasmarse y "echará humo". Nadie podrá detenerlo.

El entusiasmo es lo que atraviesa las paredes de piedra, se abre paso por millas bajo los grandes ríos, conquista batallas y traza pueblos, ciudades y naciones. El entusiasmo modifica los mapas y hace posible la historia.

Usted desde su escritorio, con su arado, su escoba, su hacha, su bate, su bolígrafo... Sin importar quién es o dónde se encuentre, hágase de ánimo, esperanza y entusiasmo.

Porque el entusiasmo da inicio a las cosas, les da forma, las concreta.

Comience a añadir entusiasmo en su sangre,

¡Continúe con eso!

El primer golpe es la mitad de la batalla.
—Oliver Goldsmith, 1728-1774

Hallaremos el camino, o bien inventaremos uno.
—Anibal, 247-183 A.C.

Cada vez que se encuentre ante una tragedia, déjela atrás. Reserve su mente para futuros logros y verá que los errores del pasado a menudo sirven para llenar el futuro de buena suerte. Su riqueza y su tranquilidad espiritual están estrechamente ligadas la una con la otra. Aún en los trabajos de menor nivel, su éxito aguarda dentro de su propia mente. Añada valor a su trabajo y ponga en funcionamiento las fuerzas que convierten los conceptos de su mente en realidades de la vida.
—Napoleon Hill, 1883-1970

Lo haré

*L*o haré: haré que este día valga la pena.

Dejaré atrás el pasado y lo recordaré simplemente como un sendero valioso que transité para llegar al hoy.

Aceptaré el trabajo de hoy como un compromiso personal de dar lo mejor de mí con interés y entusiasmo. Haré las cosas que no logré llevar a cabo antes. Emprenderé nuevas tareas que sé que puedo hacer. Seguiré adelante.

Hoy jugaré el juego según las reglas convenidas con el corazón tibio y la mente serena. Sonreiré cuando sienta ganas de fruncir el ceño. Tendré paciencia cuando me vea tentado de regañar. Asumiré el control personal de mí mismo.

Seré leal a la empresa para la cual trabajo. Seré fiel a todas mis creencias. Dominaré hasta el detalle más pequeño. Daré impulso, no golpearé. Haré, no tendré la intención de hacer. Concretaré las cosas.

Trabajaré porque así lo quiero. Seré justo y honrado porque no existe otra manera de triunfar. Obraré bien porque es lo correcto. Si alguna vez me toca sufrir una derrota, la beberé cual buena medicina. Sudaré por el esfuerzo valeroso y estaré resuelto a triunfar en todo momento.

Seré cuidadoso de mi tiempo, más respetuoso con mi salud y más cauto con mi honor. Ayudaré a hacer más grandioso el día de todas las personas con las que entable relación. Trabajaré para las personas a quienes presto servicio con todo mi corazón, con toda mi mente y todas mis fuerzas. Porque en la gloria y en el éxito de mi empresa se hallan escondidos la gloria y el éxito de mi propio ser.

Haré que este día valga la pena.

Es mucho mejor aventurarse a hacer algo grandioso, obtener gloriosos triunfos a pesar de los fracasos, que estar al mismo nivel de aquellos pobres espíritus que no gozan ni sufren demasiado porque viven en el gris crepúsculo que desconoce la victoria y el fracaso.
—Theodore Roosevelt, 1858-1919

Los sueños se hacen realidad cuando el deseo los transforma en acciones concretas. Pida grandes ofrendas a la vida y le dará alas para que se las otorgue.
—Napoleon Hill, 1883-1970

Los riesgos son necesarios si anhela progresar en el camino hacia el éxito. Es mejor arriesgar diez veces y finalmente triunfar que no haberse arriesgado nunca en absoluto.
—Don M. Green,
Director ejecutivo Napoleon Hill Foundation

LAS OPORTUNIDADES

*A*proveche sus oportunidades a medida que se le presenten.

Porque acercarse a la meta que está adelante y convertir la oportunidad en logro es lo que mueve y alienta al hombre que se esfuerza a lograr la realidad dirimida de lo que ha soñado, ha planeado y ha realizado.

Aproveche la más mínima oportunidad.

Primero distíngala. Luego aprehéndala. Y por último atesórela en su mismísima alma. Y recuerde que las oportunidades, una vez percibidas y resguardadas, engendran ideas, modelan el carácter de los hombres poderosos y garantizan el éxito.

Domine las cosas más banales. Y las grandes cosas asomarán en forma de acciones, perfectamente claras, exactas y realizables. Esto es especialmente cierto para el principiante que logra grandes cosas que comenzaron siendo pequeñas. Las acciones realizadas determinan el valor de la oportunidad aprovechada por el hombre.

Las grandes tareas del mundo yacen escondidas bajo las más pequeñas oportunidades perseguidas con queda paciencia y ecuánime valor. Si las oportunidades pasadas parecen haber sido ignoradas, descuidadas o inadvertidas, las futuras oportunidades arremeterán ante usted, o tal vez ya están listas, pero latentes en algún lugar recóndito. Búsquelas. Encuéntrelas. Y luego aférrese a ellas para siempre.

El éxito sigue a las oportunidades que dieron en el clavo. A las cosas realizadas.

Intente aprovechar las oportunidades hoy mismo. Cójalas, nuevas y frescas, y a partir de hoy construya cosas que valgan la pena y que perduren más allá del día de hoy.

Aproveche sus oportunidades a medida que se le presenten.

*No importa la distancia; es sólo el primer paso
el que resulta difícil.*
—Marie de Vichy-Chamrond
Marquesa de Deffand, 1697-1780

*El tiempo es un maestro trabajador que cura las heridas
de las derrotas y las decepciones, corrige todos los males
y convierte los errores en capital. Pero sólo favorece a
aquellos que luchan contra la desidia y que avanzan
hacia los logros de algún objetivo preconcebido con un
propósito seguro. Segundo tras segundo, a medida que
el reloj marca la distancia, el tiempo está echando una
carrera con cada ser humano. La demora significa derrota
porque ningún hombre puede compensar un simple
segundo de tiempo perdido.*
*Actúe con decisión y rapidez y el tiempo lo privilegiará.
Si titubea o permanece quieto, el tiempo lo borrará del
tablero. La única forma de ahorrar tiempo es utilizarlo
con sabiduría.*
*Hágame saber cómo usa su tiempo libre y cómo gasta
su dinero y le diré qué será y dónde estará dentro
de diez años.*
—Napoleon Hill, 1883-1970

La puntualidad

*S*ea puntual.

Gracias a la demora del Mariscal Grouchy del ejército francés en la batalla de Waterloo, Blucher tuvo tiempo de desplazar rápidamente su armada para acudir en ayuda de Wellington. Napoleón dio las órdenes correctas. La historia de Europa podría haber cambiado por completo a partir de 1815 si el hombre a quien Napoleón encomendó esas órdenes no hubiera cometido el grave error de titubear y demorarse.

Sea puntual.

"El tren iba con retraso" es la explicación más común después de un accidente terrible. Se han perdido infinidades de vidas, miles de hombres y mujeres se han visto privados de posición y honor y un sufrimiento y una humillación inexplicables han seguido los pasos del difunto señor demorado. No hay nada que rinda más que la puntualidad.

Sea puntual.

La puntualidad implica estar en el trabajo cuando lo llaman y poder contestar ese llamado. No CERCA DE ALLÍ, sino ALLÍ mismo.

Sea puntual.

El tiempo marca sus minutos con golpes parejos y regulares. Ni el trabajo, ni la cita, la orden, el amigo ni la oportunidad esperarán al hombre que no conteste puntualmente.

Sea puntual.

No existe éxito alguno para los perezosos. El mundo, con todas sus maravillosas ofrendas, brinda sus alternativas sin restricciones al hombre de palabra.

Sea puntual.

Llegue puntualmente a su escritorio cada día y sea puntual en cada uno de sus compromisos a diario. El camino hacia la grandeza comienza siendo puntual cada mañana en su mesa de desayunar. De cualquier modo, ése es el comienzo.

Sea puntual.

Los perdedores vislumbran los castigos del fracaso. Los triunfadores vislumbran las recompensas del éxito.
—Dr. Rob Gilbert

La auto-sugestión es el órgano de control por el cual una persona puede alimentar voluntariamente su mente con pensamientos de índole creativa o, por omisión, por el cual puede permitir que pensamientos de índole destructiva se abran paso hasta entrar en este rico jardín.
—Napoleon Hill, 1883-1970

Napoleon Hill escribió su clásico éxito editorial Think and Grow Rich [Piense y hágase rico] en 1937. El libro fue un éxito monumental. Fue impreso tres veces e incluso se vendía al alto precio de $2.50 durante la Gran Depresión. El autor escribió que los pensamientos en realidad son cosas. Primero existe un pensamiento y luego una cosa.
—Don M. Green,
Director ejecutivo Napoleon Hill Foundation

LOS PENSAMIENTOS

*L*os pensamientos son aquello que tiene lugar cuando su cerebro se pone en funcionamiento. Además, los pensamientos son los sirvientes que envía la mente para dar forma y completar las acciones.

Nutra sus pensamientos con los víveres adecuados.

Los pensamientos nunca se heredan. Los pensamientos son individuales y pertenecen por completo al que los crea. Por esta razón, a su vez, uno es responsable por ellos. Cuide de ellos con ahínco. Manténgalos limpios y sanos.

Nutra sus pensamientos con los víveres adecuados.

Los pensamientos son los maestros constructores del destino. Y con la misma seguridad y uniformidad con que el cincel en las manos del escultor traza las líneas y deja la forma de la estatua terminada, los pensamientos recortan y moldean su carácter. Y ningún hombre puede cambiar esta obra. Los pensamientos son los mensajeros de los acontecimientos.

Nutra sus pensamientos con los víveres adecuados.

Adiestre sus pensamientos. Organícelos. Concéntrelos. Ejercítelos. Custódielos. Disfrute a solas, en compañía de sus pensamientos. Los pensamientos son su mejor compañía. Deshónrelos, traiciónelos y terminará inútil y abandonado.

Nutra sus pensamientos con los víveres adecuados.

A medida que su mente se fortalezca, sus pensamientos crecerán en poder. Por lo tanto, ocupar la mente con pensamientos que inspiran, alientan y enaltecen es un plan muy atinado. En los días más sombríos de fatiga y rebelión que acometen contra toda existencia, las nuevas ejecuciones de pensamientos grandiosos y útiles dan un paso afuera para proteger y salvar.

Sea osado, y enormes fuerzas acudirán en su ayuda.
—Basil King

*Los mejores pensamientos que llegarán a ser publicados
en estas páginas son pensamientos que se originaron en
el empeño y en la adversidad.*
*Revise las páginas de la historia, retrotráigase al
mismísimo comienzo de todo lo que conocemos acerca
de la civilización, y verá que los hombres y mujeres cuyos
nombres perduran más allá de su muerte son aquellos
cuyos esfuerzos nacieron de la lucha, la adversidad
y el fracaso. Los hombres pueden dejar detrás de sí
monumentos de mármol sin haber pasado por luchas,
adversidades o fracasos. Pero los que construyeron
monumentos en los corazones de sus semejantes no
fueron las fuerzas desintegradoras de los elementos ni la
mano envilecedora del hombre que puede destruirlos.*
*Se debe pagar el precio con sacrificio y esfuerzo.
Aquel que los tenga recibirá, y aquel que no, será
despojado de ellos, incluso de lo poco que tenga.
Nunca se ha dicho nada tan cierto con respecto a la naturaleza humana. Las cosas parecidas se atraen. La riqueza
atrae riqueza y la pobreza atrae pobreza. Ése es el rumbo
de la naturaleza humana.*
—Napoleon Hill, 1883-1970

LA BATALLA

 *L*as batallas más importantes que se libran en cualquier parte son aquellas que uno libra a diario dentro de su propia mente contra la ira, las mentiras, las costumbres, los juicios erróneos, la mala salud y las circunstancias. Constantemente se trata de la batalla.

La batalla de descubrir hasta qué punto puede ponerse a prueba el carácter del cerebro y del cuerpo a fin de aprender que el hombre está al mando.

Los héroes nos cruzan a diario y no lo advertimos.

El carácter y la fuerza provienen del empeño. Al igual que los diamantes, las personas se vuelven valiosas sólo después del trabajo y el esfuerzo más esmerados. Todos somos una especie de diamante en bruto: requerimos un corte y pulido y moldeado antes de poder sobresalir de manera bella e inspiradora.

Pero librar esta batalla no debe conllevar tristeza o amargura. Ya que incluso en la derrota, siempre existe algo que se gana. Los principales requisitos son conservar la sonrisa, llevar poco equipaje y -en palabras de Cromwell- "confiar en Dios y estar listo para la batalla".

Acoja la batalla ya que ésta se perpetúa en su vida. Planee cada pequeña escaramuza con cuidado y con valor. Ignore la multitud exterior. Concéntrese en las fuerzas destructivas que se le oponen y combátalas hasta aniquilarlas. Luego prepárese para la siguiente batalla. Encomiende a los disidentes en sus propias filas. Pero mantenga su cara hacia el enemigo, cualquiera sea el nombre de quien lo enfrenta.

Luche siempre para ganar.

Al cargar y recargar los fusiles bajo sus órdenes de manera firme y paciente, se convertirá en un soldado experimentado. Poco a poco los intrincados principios y reglas de la guerra se volverán más simples y comprensibles. Comenzará a sentirse un líder y un conquistador.

De esa manera la batalla por nosotros librada con estoicismo a cada hora nos hace auténticos hombres y mujeres.

Cuando una persona dice que alguien "tiene don de gente", quiere decir que se trata de una persona sociable, afectuosa y encantadora. Una persona con don de gente es alguien capaz de poner a los demás a gusto y de hacerlos sentir importantes.
Cualquiera puede tener don de gente. Por esto debe entenderse alguien que pone las cuestiones humanas en primer lugar, alguien que se relaciona con sus semejantes como personas, no como enseres fijos.
Incluso la persona más introvertida puede llegar a ser una persona sociable si lo intenta incesantemente y en especial si utiliza el poder más grandioso del hombre: el poder de la oración. No es muy difícil para las personas extrovertidas. Si usted es un filántropo de corazón y actúa en consecuencia, los demás lo reconocerán.
Es absolutamente imperioso que los líderes, ya sean ejecutivos, directores de ventas, padres o amigos, aspiren a convertirse en personas con don de gente. Puede hacerlo desarrollando el hábito de una actitud mental positiva en su trato con los demás. Sea considerado hacia ellos y trátelos como le gustaría que lo trataran a usted.
—W. Clement Stone, 1902-2002

Mostrar aprecio por los demás es un gran concepto que tendrá su recompensa. Realizar una buena acción no sólo es lo correcto sino que la persona que muestre aprecio por los demás también se sentirá mejor consigo misma. Mostrar aprecio por los demás puede ser simplemente dar las gracias o enviar una tarjeta a alguien que ha hecho un buen trabajo o que ha sido reconocido de alguna manera.
—Don M. Green,
Director ejecutivo Napoleon Hill Foundation

La gratitud

*L*a gratitud es la Sal que sazona la obra y la vida del mundo. Sin la gratitud por lo que hacemos y por lo que se hace por nosotros, la tarea más simple sería una carga y la dicha se desvanecería de los corazones de las personas.

Exprese su gratitud.

La gratitud a menudo se contiene por miedo a que se saque partido de ella. Esto es lo más insensato que existe. Dicho hombre saca partido de sí mismo. La gratitud actúa como el aceite en las piezas secas y desgastadas de la máquina. Le saca una sonrisa a todos y a todo. La gratitud permanente ayuda a que las cosas sigan su marcha suave-mente. También evita el desgaste.

Exprese su gratitud.

La gente echa a perder las cosas, presta la mitad del servicio esperado y por último abandona la carrera sencillamente por falta de gratitud. La gratitud no es sólo uno de los tónicos más poderosos sobre la tierra, sino real-mente un alimento vital. Y sin él nadie puede participar de una dieta equilibrada.

Exprese su gratitud.

Si es patrón y uno de sus colaboradores hace un buen trabajo, hágaselo saber. Y si es colaborador y su patrón lo alienta a seguir adelante, agradézcaselo en palabras y dándole un mayor servicio. La gratitud moviliza y estimula. Se adentra en el alma del hombre como una corriente eléctrica a los sensibles centros nerviosos.

Exprese su gratitud.

Valore la oportunidad de vivir. Valore su salud, su hogar, su padre y su madre, sus amigos, sus oportunidades. Tal vez carece de alguna de estas cosas. Pero valore lo que sí tiene y le serán conferidos mayores obsequios constantemente.

No se lidera asestando a las personas golpes en la cabeza.
Eso es agresión, no liderazgo.
—Dwight D. Eisenhower, 1890-1969

El optimismo es uno de los rasgos más importantes de una
personalidad agradable. Pero en gran parte es el resultado
de otros rasgos: buen sentido del humor, esperanza,
capacidad de superar el miedo, alegría, actitud mental
positiva, flexibilidad, entusiasmo, fe y determinación.
Recuerde que nunca ningún gran líder o persona
exitosa fue pesimista. ¿Qué podría prometer tal líder a
sus seguidores salvo desesperanza y derrota? Aun en
los días más sombríos de la Guerra Civil, los líderes de
ambos flancos -como Abraham Lincoln y Robert E. Lee-
mantuvieron la fe en mejores días por venir.
El optimismo natural de Franklin D. Roosevelt arrojó
un nuevo espíritu de esperanza a una nación abatida
postrada en las profundidades de la Depresión.
Sea un líder, profese la justicia.
El principal rasgo del líder es la predisposición para
tomar decisiones y asumir la responsabilidad por ellas. El
segundo rasgo, estrechamente vinculado con el primero, es
un agudo sentido de la justicia.
—Napoleon Hill, 1883-1970

Henry Ford dijo: "Si piensa que puede
o piensa que no, tiene razón".
No permita que los demás resuelvan si puede
o no hacer esas cosas a las que usted ha decidido
dar importancia en su vida.
—Don M. Green,
Director ejecutivo Napoleon Hill Foundation

LIDERAR

*E*ste mundo necesita líderes más que cualquier otra estirpe de hombres. Cada rama de actividad requiere líderes: cada hogar, cada negocio, cada ciudad, cada nación. Siempre y cuando existan las personas, habrá muchas que siguen. El llamado es para aquellos que pueden liderar.

Sea un líder.

El mayor provecho del liderazgo es el valor. Los cobardes nunca son líderes. El liderazgo exige gran paciencia. Nadie seguirá a un líder irritable o impaciente. El liderazgo exige tacto, justicia y confianza. Un hombre no puede liderar a otro hombre que desconfía de su liderazgo. Son importantes muchas otras cosas, pero estas cosas son imperiosas.

Sea un líder.

Un líder debe inspirar y despertar los PODERES latentes en sus seguidores. Debe poder sacar a relucir las más altas cualidades de las personas. Para poder hacerlo, debe contar con un historial consistente e intachable. Un hombre no puede comandar si carece de autoridad. No puede movilizar a los demás sin antes haberse movilizado a sí mismo y haberse convertido en su propio amo.

Sea un líder.

Es tan importante ser líder en su hogar o en su ciudad como en su país. No es el puesto especial donde lidera un hombre lo que confiere más importancia a su trabajo, sino CÓMO lidera. Esto es cierto: si demuestra ser un buen líder en los pequeños aspectos de la vida, indefectible-mente se convertirá en un líder en los grandes asuntos.

Sea un líder.

Visión es el arte de ver las cosas invisibles.
—Jonathan Swift, 1667-1745

*La visión creativa tiene su base en el espíritu del universo
que se expresa a través del cerebro del hombre.*
—Napoleon Hill, 1883-1970

*La visión creativa se extiende más allá del interés en
los bienes materiales. Juzga al futuro por el pasado y
se preocupa más por el futuro que por el pasado. La
imaginación está bajo la influencia y el control de los
poderes de la razón y la experiencia. La visión creativa
hace a ambas a un lado y logra sus propósitos utilizando
esencialmente nuevas ideas y métodos.*
*La imaginación reconoce las limitaciones, los
impedimentos y el antagonismo. La visión creativa
les pasa por encima como si no existieran y arriba a
destino. La imaginación se asienta sobre el intelecto del
hombre. La visión creativa tiene su base en el espíritu
del universo, el cual se expresa a través del cerebro del
hombre. Perciba bien estas distinciones si aspira a la
diferencia entre la genialidad y la mediocridad, ya que la
genialidad es el resultado de la visión creativa, mientras la
mediocridad es el resultado de la imaginación, aunque es
un resultado que a menudo porta poder y alcanza metas
estupendas.*
—Napoleon Hill, 1883-1970

aquí

La visión

*L*a visión es visualizar los actos. La gran visión significa ver las cosas REALIZADAS por medio de su imaginación, incluso antes de que se las emprenda. La visión es diferente de la imaginación. Comienza a partir de la imaginación. La imaginación toma las fotografías pero la visión las entrega a los arquitectos que construyen cosas a partir de ellas. Los hombres con visión son dominantes.

Preste atención.

Congregue a sus ideas. Porque éstas hacen germinar la visión. Le dan cuerpo, alimentan su fuego, controlan sus nervios, bombean su corazón. Las ideas convierten a la visión en un ser viviente.

Preste atención.

Desprecie a la visión y se convertirá en un mercenario, subordinado y bajo la posesión de otro. Corteje a la visión y se convertirá en amo, un soldador de poder ilimitado. La visión es optimismo con dos ojos saludables.

Preste atención.

La visión es conferida a los más humildes y puede ser obtenida por ellos. No lleva patente ni derecho de autor. Es un elemento "vagabundo" en el sentido de la libertad. Pero se la debe buscar, encontrar y luego alimentar y arropar. La visión no es conferida a nadie que no se haya afanado en buscarla.

Preste atención.

Su visión puede ser grande o pequeña, según sus deseos. Cuanto más anhele, mayor será su visión. Cuanto más lejos visualice, más hará. La visión puede aplicarse al día a día. Restaura la fortaleza después del esfuerzo. Confiere permanencia a sus actos.

Preste atención.

El verdadero silencio es la quietud de la mente; es al
espíritu lo que el sueño es al cuerpo: nutre y revitaliza.
—William Penn, 1644-1718

Estoy convencido de que uno de los peores males que
existen es hablar demasiado y escuchar poco. Al guiar a
alguien con tacto en una conversación, lo cual no es difícil
en la mayoría de los casos, uno puede averiguar qué pasa
por la mente del otro. Si uno mantiene la boca cerrada y
los oídos atentos, se rodea con una ventaja enorme por
sobre la persona que habla con incauto entusiasmo. Para
un hombre es un lastimoso cumplido que se diga de él
que cualquiera que se detenga a escuchar puede saber
todo lo que él sabe. Y esto se puede decir sobre el 95 por
ciento de nosotros sin faltar a la verdad..
—Napoleon Hill, 1883-1970

ESCUCHAR

*E*scuchar es aprender. Los ejecutores de grandes cosas dedican muy poco tiempo a hablar, pero siempre son buenos oyentes. Cualquiera puede abogar por una educación liberal si tan sólo se toma su tiempo para escuchar. Pero es imperioso que absorba lo que aprenda.

El General U. S. Grant no era un hombre brillante. Era un fracaso en los negocios. Pero decidió convertirse en alguien útil. Estaba dotado de una determinación y una tenacidad asombrosas. Tenía carácter. Y hoy día, muy alto sobre las aguas del Hudson, a lo largo del hermoso Riverside Drive en Nueva York, se yergue la Tumba de Grant, un mudo testimonio de la vida y obra de Grant como soldado y presidente. Era tan buen oyente que mientras fue presidente se hizo famoso como el "presidente silencioso".

Absorba lo que aprenda.

Ser un buen oyente es un gran logro. Nadie demuestra su ignorancia más rápido que el hombre que se empeña en hablar sin decir nada. Si tiene algo para decir, dígalo. Si no tiene nada para decir, escuche.

Absorba lo que aprenda.

Escoja las personas a quien escuchar. Escuche con respeto y con la mente abierta. Dé un recibimiento acogedor a las nuevas ideas, nuevas teorías y nuevos programas. Escuche bien. En usted radica el derecho de rechazar lo que no desea. Pero siempre sea lo suficientemente grande para escuchar. Y luego absorba lo que aprenda.

*La persona que mejor se viste generalmente es aquella
cuyos atuendos y accesorios están tan bien escogidos y cuya
vestimenta entera está tan bien armonizada de modo que no
atrae una atención indebida por su ornamentación personal.*
—Napoleon Hill, 1883-1970

*El modo en que uno se viste también puede tener un
impacto significativo en la forma en que lo perciben los
demás. Un buen principio a imitar es estar seguro de que
uno está vestido de manera apropiada para la ocasión.
"Ropa informal" puede significar pantalones vaqueros
y pantalones cortos para un grupo de personas de una
agencia de publicidad, mientras que para un encuentro
de abogados puede interpretarse como chaqueta de sport
y pantalones. Si no está seguro, pregunte. Nada puede
incomodarlo más que vestirse sin la debida elegancia o
vestirse ostentosamente para la ocasión.*
Lo mismo sucede con la indumentaria de trabajo. La ropa
aceptable en una empresa puede ser totalmente fuera de
lugar en otra. Si desea adaptarse a la cultura de cualquier
organización, observe cómo se viste el presidente y siga su
ejemplo. No obstante, si se trata de un hombre de negocios
que evita las corbatas y prefiere zapatillas a usar zapatos,
actúe con cautela. Puede que él piense que está bien vestirse
de ese modo en la oficina, pero no tendría el mismo efecto
si el personal de ventas hiciera sus visitas a las empresas
conservadoras vestido de esa forma, y el vicepresidente
del área de finanzas no inspiraría mucha confianza a los
banqueros si vistiera pantalones vaqueros en lugar de
pantalones de tela entrelisada en un almuerzo de negocios.
El tipo de trabajo que realiza y el tipo de personas con las
que posiblemente entre en contacto durante el transcurso
normal de su día laboral también deben influir en su
vestimenta. Una vez más, la clave es lo apropiado.
—W. Clement Stone, 1902-2002

La vestimenta

*O*bserve al hombre que cuida de su vestimenta. Estrechará la mano del éxito calurosamente y el éxito lo dejará participar de su sociedad. Puede que los atuendos no hagan al hombre, pero el hombre puede hacer fácilmente que los atuendos lo ayuden a hacerse. Lo ayudarán a darse a conocer a través de su vestimenta.

En primer lugar, la vestimenta transmite una sensación de respeto por uno mismo. Sin embargo, el hombre sensato la olvida. Pero si no lo hace, ésta puede contribuir a deshacerlo. El culto a la vestimenta amancilla el carácter y le quita brillo. Porque la vestimenta, después de todo, está hecha principalmente para la mente. De otra manera, aún andaríamos por la vida desnudos. La vestimenta es un indicador certero del verdadero carácter del hombre.

Dése a conocer a través de su vestimenta.

Puede lograrlo si permite que su vestimenta sea el medio y de ninguna manera el fin. La vestimenta y el simple estilo pertenecen a dos tribus distintas. La pulcritud y el sentido común son lo que más cuenta en materia de vestimenta. Resulta difícil superar el consejo de Shakespeare: "En la medida que lo permita su bolsillo, aséese pero no caiga en la ostentación".

Dése a conocer a través de su vestimenta.

Por otro lado, la selección cuidadosa de la vestimenta con el fin de reflejar su individualidad y personalidad se convierte en uno de los medios más poderosos con que cuenta en miras de su crecimiento. La vestimenta otorga prestigio. Proporciona un acceso. El efecto mental que produce la persona vestida con la justa elegancia es estimular, invitar y deleitar en el acto. Sin embargo, lo importante es vestirse de modo tal que las personas se interesen de inmediato por USTED y no por su VESTIMENTA.

Dése a conocer a través de su vestimenta.

*Si ha construido castillos en el
aire, su trabajo no fue en vano.
Ahí es donde deben estar.
Ahora bien: coloque los cimientos
debajo de ellos.*
—Henry David Thoreau, 1817-1862

*La iniciativa personal es una cualidad sobresaliente de
todo liderazgo exitoso en todo tipo de esfuerzo. Encabeza
la lista de cualidades que debe poseer un líder exitoso.
Para servir como cualidad del liderazgo, la iniciativa
personal debe estar basada en un determinado plan
organizado, debe estar inspirada por un motivo definido
y debe seguirse con empeño hasta que se logre el fin
perseguido. Un ejemplo de iniciativa personal y liderazgo
lo da Henry J. Kaiser que, durante la Segunda Guerra
Mundial conmocionó a todo el mundo industrial con
su logro de velocidad y eficiencia en la construcción de
barcos. Sus logros eran de lo más fascinantes porque
nunca antes había construido barcos. El secreto de su
éxito radica en su capacidad de liderazgo.*
—Napoleon Hill, 1883-1970

EXPLORAR

*D*ios no puso el cerebro dentro de la cabeza del hombre como una simple instalación fija. Los cerebros son como continentes. Fueron creados para ser explorados y aprovechados y para ser poblados con ideas. Pero antes de emprender su expedición de exploración, asegúrese de tener una perspectiva.

Porque después de contar con un verdadero cerebro con que trabajar, no hay nada tan importante como tener una perspectiva individual. Lo es todo para el hombre. De ella emerge la misma Imagen del plan de vida y de los ideales del hombre. Explore.

Adopte una perspectiva.

El hombre reúne y prepara para su uso instantáneo miles y miles de palabras que constituyen el lenguaje. No podemos olvidarnos de Webster. Él dio forma y afiló las herramientas, y las puso en orden. Luego apareció Emerson. Llegó Poe. Dickens, MacCaulay, Scott, y muchísimos otros avanzaron y exploraron a fondo el arca de herramientas de Webster. Cada uno forjó una profesión literaria con su propia perspectiva. Explore. Instrúyase.

Adopte una perspectiva.

El mundo entero está comenzando a quitarse el sombrero ante la genialidad de O. Henry. Pero si bien sus palabras son maravillosas, no son nada comparadas con la perspectiva casi sobrehumana que logró desarrollar. Las personas esbozadas en el ciclo de la monotonía y de los olvidados nunca dejarán de existir mientras perdure la imprenta. Estaba explorando a cada instante. Explorando y explorando.

Adopte una perspectiva.

Busque, piense, sacrifique, estudie, viaje, lea. Permita que el espíritu de la exploración se impregne en su sistema. Pero recuerde que es lo que LOGRA tras explorar lo que hace que sus expediciones valgan la pena. Antes que nada...

Adopte una perspectiva.

Me agradan más los sueños del futuro
que la historia del pasado.
—Thomas Jefferson, 1743-1826

"El éxito y el fracaso están en su propia mente".
Una vez que despierte gracias a esta maravillosa
iluminación espiritual, tendrá a su disposición
las 12 grandes riquezas de la vida:
1. Una actitud mental positiva
2. Buena salud física
3. Armonía en las relaciones humanas
4. Inmunidad contra el miedo
5. La esperanza de triunfar
6. La capacidad de tener fe
7. La predisposición para compartir las bendiciones propias
8. Una obra de amor
9. Una mente abierta en todas las cuestiones
10. Autodisciplina
11. La capacidad de comprender a las personas
12. Seguridad financiera
—Napoleon Hill, 1883-1970

SOÑAR

*P*onga sus sueños en funcionamiento.

El tipo adecuado de sueño es el agente del progreso de una acción. Los sueños son imágenes mentales de cosas que el hombre de iniciativa formula y completa. Los hombres de acción del mundo han sido siempre soñadores.

Ponga sus sueños en funcionamiento.

Pero cuando sueñe, sueñe cerca de casa. Los castillos en Cathey no le resultarán nada útiles. Soñar con la leñera que apiló su vecino de manera tan precisa no serruchará su propia madera en su propio patio.

Ponga sus sueños en funcionamiento.

Organice sus sueños. Y a medida que los tenga, regístrelos en un catálogo para saber dónde encontrarlos cuando los necesite. Púlalos con una lija para ver de qué están hechos con más claridad. Tómelos con ambas manos y sujételos frente a su cara para captar su medida exacta. Luego otórgueles un pico, una pala o un bolígrafo. Póngalos en acción.

Ponga sus sueños en funcionamiento.

Olvide sus sueños de ayer. Ponga sus sueños de hoy en funcionamiento hoy. De esta forma, mañana se habrán convertido en acciones.

Ponga sus Sueños
en funcionamie
nto. = Convertirlo
en acción.

*A menudo nos enorgullecemos incluso de las pasiones
más criminales, pero la envidia es una pasión cobarde y
vergonzosa que nadie se atreve nunca a admitir.*
—Francois duc de La Rochefoucauld, 1613-1680

*Es obvio que aquellas personas llenas de rencor y envidia
carecen de paz espiritual. Su rencor y su envidia amargan
sus vidas. El fracaso detesta el simple atisbo del éxito.
En conversaciones con hombre exitosos, he notado que
hablan en términos elogiosos acerca de otros hombres
que triunfan. Su actitud no denota envidia, sino buena
voluntad para aprender de los demás. Por otra parte,
los hombres fracasados, se apartan de su camino para
encontrar alguna crítica desfavorable a la persona exitosa.
Si no logran encontrar nada, se muestran desconfiados
acerca de la manera en que esta persona hace negocios,
y luego sacan a relucir defectos en cualquier otra área.
Su rencor es obvio, al igual que el triste hecho de
que no sólo son incapaces de controlar aquello que
el dinero puede comprar, sino que tampoco pueden
alcanzar la paz espiritual.*
—Napoleon Hill, 1883-1970

LA ENVIDIA

$\mathcal{U}$sted que está leyendo esta breve charla, posee cosas atesoradas en el cerebro que nadie más en el mundo tiene o ha tenido. Y también tiene la llave para abrir ese tesoro. Si bien el Todopoderoso está consagrado a un gran asunto, creando millones de seres humanos año tras año, nadie ha descubierto aún un ser humano repetido. Cada ser humano es "original". Por lo tanto, si existe algo por qué tener envidia, deje que los demás lo hagan. Usted...

Sea demasiado grande como para afligirse con la envidia.

Pues la envidia les guarda rencor a los demás por su buena fortuna. Tener envidia es estancarnos en nuestro propio crecimiento. La envidia que se siente por los triunfos de otra persona arrebata lo mismo que se siente el triunfar por mérito propio. Sentir envidia es robarse a uno mismo.

Sea demasiado grande como para afligirse con la envidia.

Traiga a la memoria a los grandes hombres de acción. ¿Son personas envidiosas? No. Están demasiado ocupadas para envidiar. Si se tomaran el tiempo para envidiar no podrían haber aprovechado sus mejores capacidades para triunfar.

Sea demasiado grande como para afligirse con la envidia.

Jamás envidiaría si tan sólo se diera cuenta del poder acumulado que proviene de aprovechar el éxito de los demás. Conténtese por la gran suerte de los demás. Sea lo suficientemente sabio para permitir que su inspiración lo eleve. El éxito individual no es inalterable. No tiene restricciones. Felicite a su amigo hoy y puede que mañana él esté en la posición de felicitarlo a usted mañana. Siéntase afortunado de tener la oportunidad.

Sea demasiado grande como para afligirse con la envidia.

La imaginación es la clave de todos los logros del hombre, el principal impulso de todo cometido humano, la puerta secreta que conduce al alma del hombre. La imaginación inspira el esfuerzo humano vinculado con los objetos materiales y las ideas asociadas a ellos. La visión creativa se extiende más allá del interés en los bienes materiales. Juzga al futuro por el pasado y se preocupa más por el futuro que por el pasado. La imaginación está bajo la influencia y el control de los poderes de la razón y la experiencia. La visión creativa los hace a un lado y logra sus fines utilizando básicamente nuevas ideas y nuevos métodos.

Dos cosas son fundamentales -más fundamentales que todas las demás, tal vez- para el despliegue y el desarrollo de la visión creativa. Una es la sincera voluntad de trabajar y la otra es un motivo bien definido que resulta suficiente para inspirar la predisposición para ir un poco más allá con una actitud mental positiva.
—Napoleon Hill, 1883-1970

La visión nos ayuda a ver las cosas como pueden ser y no como son. Los autores del Antiguo Testamento dijeron: "Sin visión, las personas mueren". Aunque es importante estudiar historia, creo que la preferencia de Thomas Jefferson de la visión del futuro por sobre la historia del pasado nos señala que hacia dónde nos dirigimos es mucho más importante que dónde hemos estado.
—Don M. Green,
Director ejecutivo Napoleon Hill Foundation

SABER VER

*E*xisten dos maneras de ver. Una con los ojos y otra con la mente. Helen Kellar dijo una vez ante un gran público que había muchas personas más ciegas que ella. Tenía razón. Ciegos son aquellos que NO QUIEREN ver.

Mantenga la mente y los ojos bien abiertos.

Joseph Pulitzer, el difunto editor ciego del New York World, engrandeció su periódico sólo después de quedar ciego. Prescott escribió sus grandes historias con ojos que no veían. P.S. Henson, el gran predicador, ha visto y aprendido más con un solo ojo que la mayoría de las personas podrían con una docena de ojos. Los ciegos son algunas veces los que más ven.

Mantenga la mente y los ojos bien abiertos.

Aproveche los ojos. Vea las cosas. Y después de verlas, hágase su amigo. No hay dos personas que vean las cosas exactamente igual. Watt vislumbró el poder latente del vapor que salía de la tetera de su madre. Franklin vio otro tipo de utilidad resquebrajándose en la cola de su cometa. Los seguidores de estos hombres vieron lo suficiente para adaptarse e impulsar a la civilización a avanzar a pasos agigantados.

Mantenga la mente y los ojos bien abiertos.

Muchas de las cosas realmente importantes en este mundo todavía no han sido vistas. Puede que usted, desde su humilde tarea del día de hoy, las vislumbre o vea sombras de ellas. Si así es, sea constante y vea. Siempre existe una manera grandiosa de aprender y crecer y de decidir ver todo lo que pueda ser visto. Pero sus ojos son sólo una mitad. Ver con la mente es la otra mitad.

Mantenga la mente y los ojos bien abiertos.

aquí

A medida que se apropie de esta filosofía para los beneficios personales que obtendrá de aquellos que la concedieron, recuerde que debe algo a aquellos que vendrán detrás de usted. Esta nación debe seguir adelante. El nivel de vida estadounidense debe conservarse e incluso elevarse más. Debemos proteger nuestra forma de democracia. Debemos convertir nuestras escuelas e iglesias en lugares seguros para beneficio de aquellos que nos sucederán, de la misma forma que las resguardaron para nosotros aquellos que nos precedieron.

—Napoleon Hill, 1883-1970

Vivir en los Estados Unidos es un gran privilegio que hicieron posible las personas que huyeron de sus patrias en busca de una mejor vida. Sólo piense un momento: ¿alguna vez oyó la noticia de que alguna persona haya construido un bote casero o haya arriesgado su vida para abandonar los Estados Unidos y marcharse a otro país?

—Don M. Green,
Director ejecutivo Napoleon Hill Foundation

EL ESPÍRITU UNIVERSAL

*E*n la oficina privada del presidente de una de las mayores empresas estadounidenses están estas letras escritas en letra grande y en color negro en una tarjeta enmarcada: U.S. Estas letras pueden representar muchas cosas. Pero en este caso lo que realmente abrevian es espíritu universal (universal spirit). También significan cooperar.

El espíritu universal hace que los hombres confíen los unos en los otros, los hace desear ser leales a sí mismos, a sus amigos, a sus ideales y a sus contactos comerciales. Después de todo, el espíritu universal no es más que el gran anhelo de ayudar a que las cosas marchen con calma y de concretar las cosas sin demasiados altercados inútiles.

Coopere.

El miedo, los roces, la desesperanza, la desconfianza y la deslealtad son los efectos contraproducentes que acarrea la falta de espíritu universal. No habrá huelgas en su establecimiento si su lema es el espíritu universal. Para lograrlo, comience por la regla de oro.

Coopere.

Tenga fe de que posee una pieza compuesta en lo que aspira a forjar la mejor parte de la felicidad y no necesitará usar el diccionario para definir el significado del espíritu universal. Simplemente se trata de cooperar.

Verá que la Madre Naturaleza dedica esfuerzos extraordi-
narios en todo lo que hace. No crea lo justo y necesario
para que cada gen o especie simplemente sobreviva:
produce una abundancia en exceso para encargarse de
todas las emergencias que surgen y para que aun así
sobre lo suficiente para garantizar la perpetuación de cada
forma de vida.

Observe cómo florecen los árboles frutales cada
primavera. La naturaleza muestra indulgencia ante los
vientos y tormentas y escarchas inusuales que pueden
destruir muchos de los retoños, permitiendo que
sobrevivan suficientes retoños para generar una cosecha
de frutas. La naturaleza hace esfuerzos extraordinarios
simplemente creando abundantes flores que atraen a
las abejas. Las abejas hacen un esfuerzo extraordinario
prestando sus servicios antes de recibir una recompensa
por ello. El resultado es la producción de frutas y la
perpetuación de las abejas.
—Napoleon Hill, 1883-1970

Casi todo el mundo tiene problemas y tareas que no
pueden concluirse hoy. Pero si ponemos manos a la obra
y atacamos una cosa por vez, podemos ocuparnos de la
siguiente tarea. Y una cosa a la vez bien hecha reduce la
pila de cosas que nos quedan por hacer.
—Don M. Green,
Director ejecutivo Napoleon Hill Foundation

El esmero

*E*ste mundo está repleto de seres humanos, trabajos, empresas, obras de arte y compañías de maquinarias que están desgastados y deshilachados, por así decirlo, porque alguien está equivocándose constantemente.

Lo que sea que usted haga, hágalo bien hasta concluirlo.

El fracaso comienza a germinar cuando usted comienza a descuidar su trabajo por primera vez. El descuido puede ser insignificante, pero esto no debe engañarlo: en ese punto es cuando su éxito comienza a extinguirse.

Lo que sea que usted haga, hágalo bien hasta concluirlo.

Tenga el suficiente sentido común y valor para comprender que cometerá errores todo el tiempo. Lo más importante es dominar el arte de aprender de ellos para no cometer los mismos errores dos veces. Venza todos los obstáculos que se le presenten. Triunfe y avance. Esmérese.

Lo que sea que usted haga, hágalo bien hasta concluirlo.

Nada que valga la pena carece de importancia. Y nadie puede darse el lujo de descuidar o hacer sin prestar atención algo que sea importante. El patrón ES empleador porque alguna vez fue un buen empleado. En la base del éxito radica el esmero. Ninguna estructura nunca se mantuvo en pie construida sobre mitad arena y mitad piedra. Esmérese. Día a día acuñe este pensamiento en su mismísimo cerebro como lema:

Lo que sea que haga, hágalo bien hasta concluirlo.

*LA MENTE DEL HOMBRE encabezaría la lista de
todos los otros milagros de la vida si se los hubiera
descrito en su orden de importancia ya que la mente es
el instrumento a través del cual el hombre se relaciona
con todas las cosas y circunstancias que
afectan o inciden en su vida.
Sin duda la mente humana es el producto más enigmático
y más imponente que ha creado la naturaleza, y al
mismo tiempo es el menos comprendido y el más
ultrajado de los insondables dones que el Creador ha
conferido al hombre.
Todos los triunfos y todos los fracasos y frustraciones del
hombre son el resultado directo de la forma en que utiliza
su mente o la forma en que desdeña utilizarla.*
—Napoleon Hill, 1883-1970

*En su libro You Can Work Your Own Miracles [Puede
lograr sus propios milagros], Napoleon Hill escribió que el
cambio encabezaba la lista de los milagros de la vida.
El cambio es la herramienta del progreso humano que
otorga el más alto nivel de vida que
el mundo haya conocido.*
—Don M. Green,
Director ejecutivo Napoleon Hill Foundation

Aprovechar

*A*provechar es una de las palabras más inspiradoras en todos los idiomas de palabras. Piense en lo que era esta gran tierra llamada Estados Unidos antes de que los hombres comenzaran a aprovecharla. Una zona maravillosa, ciertamente, pero con escasa utilidad para la humanidad. Pero tan pronto como ciertos hombres pensantes arribaron y comenzaron a trabajar su tierra, se esparció un milagro ante un desidioso Viejo mundo. Porque...

Aprovechar es crecer.

Cuelgue su brazo a un costado del cuerpo y déjelo en esa posición durante un tiempo prolongado; a la larga se atrofiará. La falta de uso siempre implica decadencia, inanición y muerte.

Aprovechar es crecer.

Posee un cerebro que puede ser tan maravilloso y grandioso como cualquier otro que haya existido. Pero a menos que ponga en funcionamiento las pequeñas neuronas que ansían hacer algo, su entera existencia se convertirá meramente en un asunto cualquiera.

Aprovechar es crecer.

¿Comprende que la distinción que se hace de las personas es simplemente una cuestión de oportunidades de las neuronas aprovechadas hasta la concreción de algo? ¿Que esto implica simplemente aprovechar cada una de las oportunidades de avanzar, sin importar qué tan pequeña sea ésta?

Aprovechar es crecer.

APROVECHAR sus minutos, sus oportunidades, sus piernas, sus brazos, sus músculos, cada uno de los poderes de su cuerpo y de su cerebro implica un avance hacia su meta que nada puede detener. Aquellos que aprovechan lo que tienen y lo que consiguen son los hombres y mujeres cuyos nombres entran en la historia. ¿Desea ser alguien? Recuerde esto:

Aprovechar es crecer.

*La forma de alcanzar la determinación es comenzar justo
donde se encuentra con la misma cuestión a la que se
enfrenta. Tome una decisión, tome cualquier decisión;
cualquier decisión es mejor que ninguna.
Comience a decidirse.*
—Napoleon Hill, 1883-1970

*Concentre sus energías en lograr algo a la vez. Si
hace muchas cosas a la vez, puede que sea incapaz de
desempeñarse en absoluto. Especialícese y aprenda
a hacer una cosa un poco mejor que las otras y así
obtendrá su recompensa.*
—Don M. Green,
Director ejecutivo Napoleon Hill Foundation

El entorno

$\mathcal{E}$l entorno es el ambiente propio. Es también el poder invisible de las circunstancias que siempre permanecen cerca cuando se las convoca. Lo cual es lo mismo que decir que el entorno es el sirviente de todo hombre.

Puede SER alguien justo en el lugar donde está.

El entorno es una cuestión personal. Por lo tanto, si su actual entorno le pone trabas, debe alejarse de él. Busque un nuevo entorno. Los hombres y mujeres que se acostumbran a concluir las cosas que emprenden crean su propio entorno, hora tras hora, día tras día.

Puede HACER algo justo en el lugar donde está.

Bunyan escribió el inmortal Pilgrim's Progress en Prisión; Milton, escribió estando ciego El paraíso perdido; John Brown, camino a la horca, sonriente, Un Profeta de la libertad. Helen Kellar, ciega, sorda y muda, y aún así la encarnación de la luz y la dicha. Éstos son los maestros del entorno.

Puede SER alguien justo donde está.

Las personas que valen la pena en este mundo hacen de su entorno un lugar tan atractivo que atraen a los demás seres humanos a su camino. Usted, que es empleador, rodéese de trabajadores alegres. Usted, que es empleado, mantenga su mente llena de pensamientos alegres. Su entorno es lo que usted decide que sea. Contribuya a su valor y su talla.

Puede HACER algo justo en el lugar donde está.

El pesimista es aquel que construye calabozos en el aire.
—Walter Winchell, 1897–1972

Puede ser cualquier cosa que anhele si tan sólo lo cree
con la suficiente convicción y actúa de acuerdo con sus
creencias, ya que podrá lograr cualquier cosa que su
mente sea capaz de concebir y creer.
Dichas palabras han inspirado a innumerables lectores
de Think and Grow Rich [Piense y hágase rico] a
sobreponerse ante episodios de duda o falta de confianza
en sí mismos y a avanzar hacia grandes logros. Quizás
usted es uno de ellos.
Pero imagine que es un delincuente condenado
y encarcelado, despojado de sus derechos como
ciudadano, despreciado por sus semejantes, separado
de su familia y amigos, incapaz de ayudar a aquellos
que dependen de usted.
Desprovisto de poder.
¿Cómo podrían las palabras de este libro ayudarlo
a superar la desesperanza y a mejorar su vida?
Miles de prisioneros y ex prisioneros de todo el país
pueden contestar su pregunta. Ellos, al igual que
cientos de oficiales y empleados de prisiones han visto
modificadas sus vidas por una serie de lecciones que se
basan en los principios del éxito que se enseñaron en las
prisiones desde mediados de los años
—Napoleon Hill, 1883-1970

LAS PREOCUPACIONES

*S*i tan sólo usted cayera en la cuenta de lo que son las preocupaciones, dejaría de utilizarlas en sus negocios. Porque la preocupación es el nombre que da el diablo a su más selecta marca de sales aromáticas y cuanto más se acostumbra uno a usarlas, más se adentra en lo que es el infierno. Éste es el antídoto para la preocupación:

Sonría, sonría, sonría. Y vuelva a sonreír.

Porque donde hay sonrisas, no existe la preocupación. La preocupación es un simple y llano veneno. Es el más traicionero de los venenos porque no sólo corroe los más sutiles poderes de su mente y de su vida sino que también se esparce y se irradia como una enfermedad contagiosa. La preocupación no puede hacer daño en una atmósfera de alegría, de fe y de esperanza profundas y de trabajo.

Trabaje, trabaje, trabaje. Y continúe trabajando.

La preocupación es tan inútil, tan irracional... Sólo dése cuenta de esto y muy pronto la habrá aborrecido y desterrado para siempre. ¿Se le ocurre un solo ejemplo en que la preocupación le haya sido útil? Entonces, deshágase de ella.

Sonría, sonría, sonría. Y vuelva a sonreír.

La preocupación nunca posibilitó y nunca posibilitará nada útil para superarnos. Nunca valió para ganar un centavo y nunca ayudó a ningún ser humano. Pero si usted pone manos a la obra, si constantemente busca prestar algún servicio, nunca tendrá el tiempo ni la tentación de preocuparse.

Trabaje, trabaje, trabaje. Y continúe trabajando.

Existen dos maneras de propagar la luz: ser la vela o ser el espejo que la refleja.
—Edith Wharton, 1862-1937

A esta altura, todos conocemos los efectos positivos que puede tener en una persona la fe que los demás tienen en sus capacidades.
Este fenómeno se conoce como la profecía de la auto-realización: creer en las personas y tratarlas como si tuvieran gran potencial verdaderamente mejora lo que éstas hacen.
Los estudios demostraron que los adultos realizan un mejor trabajo cuando sus jefes creen en ellos.
Estos hallazgos suponen que sólo el jefe pone en marcha la profecía de la auto-realización.
Y sin duda es cierto que si las personas que están a cargo tratan a todos los que trabajan para ellos como tratan a aquellos de quienes esperan mucho, obtendrán un mejor desempeño.
—Napoleon Hill, 1883-1970

El aliento

Si progresa hasta alcanzar algún día un lugar de poder y abundancia, simplemente fórmese la costumbre de palmear a la gente en la espalda con una verdadera palmada de aliento.

Obsequie su propio éxito.

No existe nada más estimulante en el mundo que sentir la emoción de la esperanza dando color a la mejilla de un semejante a quien recién le dieron un apretón de valor.

Obsequie su propio éxito.

Hasta a un caballo de carrera le va mejor después de una palmada en el hocico. El lustrabotas le dará un mejor lustre a su calzado si recuerda Sonreír mientras él hace su trabajo. La mitad de los fracasos de la vida se esparcen a lo largo de la alcantarilla del fracaso por esta misma razón: los necesitados carentes de aliento.

Obsequie su propio éxito.

No existen los éxitos "favorecidos por el destino". Los únicos ganadores son los favorecidos del aliento. La sonrisa, el apretón de manos afectuoso, el ánimo sincero y el vaso de agua cristalina son las cosas que hacen que el hombre forje el comercio y eche a andar hacia ciudades y naciones bulliciosas. Si le agrada silbar, instruya en este arte a alguien que no sepa hacerlo.

Obsequie su propio éxito.

Por cierto, es lo más divertido que existe... La persona más próxima a usted en este momento, quienquiera que sea y donde quiera que esté, es tan humano como usted. Vacíe sus bolsillos de aliento. Manténgalos vacíos obsequiando lo que contengan ya que siempre estarán llenos. Y si estas charlas lo ayudan de un día a otro, hágaselo saber a la persona que las escribió. Lo alentará.

*La mejor disciplina, tal vez la única que realmente
funciona, es la autodisciplina.*
—Walter Kiechel III

*No existe la realidad del dar algo por nada. Todo tiene
una etiqueta con un precio y usted debe estar dispuesto
a pagar el precio total antes de adquirir el objeto de
su deseo. A menudo se debe pagar este precio por
adelantado. Es posible pagarlo en cuotas y en pasos
fáciles pero el precio total se debe pagar antes de que el
objeto de su deseo pase a ser su posesión.
Recuerde invocar a su mente consciente sus planes y su
principal propósito siempre que le sea posible. Coma
con ellos, duerma con ellos y llévelos con usted donde
quiera que vaya. Tenga presente que esto puede influir
en su mente subconsciente para que ésta se esfuerce por
el logro de su principal propósito incluso mientras usted
duerme. Mantenga su mente enfocada en las cosas que
desea y alejada de las cosas que no desea hasta que su
principal propósito se convierta en un ardiente deseo.
Recuerde: Lo que sea que la mente del hombre puede
concebir y creer, podrá lograrlo.*
—Napoleon Hill, 1883-1970

La voluntad

*J*ohn Stuart Mill dijo una vez que "El carácter es la voluntad moldeada por completo". Lo cual insinúa que la tarea más importante en la vida es la instrucción y el desarrollo de la VOLUNTAD.

Piense, pero no sólo eso: EJECUTE el pensamiento.

Porque ese es el único método seguro para forjar la voluntad instruida. Actuar con decisión, firmeza y prontitud cuando se presenta una emergencia es nutrir a la voluntad a cada momento. La voluntad endeble es la voluntad que no se nutre.

Piense, pero no sólo eso: EJECUTE el pensamiento.

Observe al hombre fuerte. Ve una cosa para hacer e inmediatamente la HACE. Esto puede parecer intrascendente. Incluso puede parecer que es el trabajo de otras personas. Pero sin vacilar, como si la riña fuese mayor que la tarea, el hombre poderoso concluye la cosa para ganar tiempo para otras cosas más importantes.

Piense, pero no sólo eso: EJECUTE el pensamiento.

La tragedia de la muchacha de la tienda que gana diez dólares a la semana, del oficinista de los quince dólares a la semana y del hombre maduro desempleado es la tragedia de una voluntad no instruida. El difunto E.H. Harriman dijo una vez: "No soy un hombre del diez por ciento". Ésta era su forma de decir que era amo de su propia voluntad y rey entre los hombres de acción.

Piense, pero no sólo eso: EJECUTE el pensamiento.

De todas las cosas de hoy que no debe abandonar están las cosas que menos desea hacer. Forjar la voluntad implica hacer las cosas más insignificantes y más monótonas de ser necesario. Pero concluirlas siempre lo mejor posible. Tenga bien presente que el dominio diario de las pequeñas cosas que valen la pena hace que -llegado el momento- el logro de las grandes cosas se vuelva fácil y natural.

Piense, pero no sólo eso: EJECUTE el pensamiento.

Napoleon Hill escribió una vez: *"El hombre que se lleva bien con su propia conciencia y que vive en armonía con su Creador siempre será humilde, sin importar cuán grande sea la fortuna que amasó o cuán excepcionales hayan sido sus logros".*

La lección que nos interesa es que los prestigiosos títulos y posiciones no hacen que las personas triunfen. Estos pueden ser arrebatados fácilmente. Las personas se sostienen a lo largo de sus carreras profesionales sobre quiénes son como personas.

—Donald Keough

Nunca postergue para mañana lo que necesita y puede hacer hoy.

El éxito se mide por la capacidad de avanzar un poco cada día. Aprenda a dividir cada día en las proporciones correctas: duerma lo suficiente, trabaje lo suficiente, descanse lo suficiente; cree suficiente felicidad para un día armonioso.

—Don M. Green,
Director ejecutivo Napoleon Hill Foundation

La armonía

*E*ntre en sintonía.

Aprendemos nuestras lecciones más importantes de la naturaleza. Eche un vistazo a sus maravillas en cualquier momento: el césped, las flores, los árboles, los pájaros y las rocas. ¿Qué es lo más impresionante de todas ellas? Su armonía silenciosa.

La naturaleza no desperdicia nada. No riñe con nadie. No derrocha. Su equipo de trabajo es perfecto. Todas sus leyes se amalgaman en perfecta armonía. No existen discordias.

Entre en sintonía.

Donde no hay armonía, no hay progreso. Elbert Hubbard nos legó un estupendo consejo al decir: "Alinéese o salga de aquí". Éste debería ser el lema de este Viejo mundo para cada uno de sus hombres y mujeres.

Entre en sintonía.

No existe ningún hombre o empresa que no pueda elevar su eficiencia una y otra vez mediante la aplicación de esta sencilla regla de la armonía: borrar las discordias y hacer las paces con el propósito a mano.

Entre en sintonía.

Piense en la energía perdida y en la vida perdida por no haber estado en armonía con su mejor modo de pensar o con la empresa que lo honra empleándolo. ¿Es consciente de que no podrá procurar nunca jamás lo que está ignorando con tanta negligencia? En este mismo instante deje de malgastar sonrisas, grandes propósitos y grandes resoluciones. Los pensamientos conspirativos corroen el corazón de su fuerza vital y lo reducen a la nada.

Despierte de su letargo. No existen los días lúgubres para las personas alertas ni para las personas que tienen el control. Para usted que está decidido a triunfar: la historia de las estrellas y los planetas que desempeñan su función en perfecta armonía es la inspiración que hace que cada minuto útil de su día sea maravilloso y que valga la pena.

Entre en sintonía.

❀ ❀ ❀

El hombre que conoce el valor de la fidelidad en sus compañeros y se rehúsa a conformarse con menos que la perfección está destinado a tener éxito.

El escritor Elbert Hubbard daba tanta importancia a la fidelidad que cuando Felix Shay le solicitó un empleo para trabajar junto a él, le tomó a Shay una prueba excepcional. Hubbard dio instrucciones a Shay para que fuera al establo, ensillara un caballo y le hiciera dar cien vueltas alrededor del granero para ejercitarlo. Shay lo hizo sin dudarlo. Luego Hubbard pidió a Shay que escribiera un ensayo de mil palabras acerca de la vida y las costumbres de la abeja. Una vez más, Shay hizo lo que le ordenaron sin hacer ningún cuestionamiento.

Como resultado, Shay se convirtió en uno de los compañeros más confiables de Hubbard y permaneció con él hasta la muerte de Hubbard en el desastre del Titanic. Esto es lo que escribió Hubbard sobre la lealtad y la confiabilidad: "Si trabaja para una persona, en nombre de Dios trabaje para ella. Si paga el salario que le da el pan de cada día, trabaje para ella, hable bien de ella, piense bien de ella, bríndele su apoyo y respalde la institución que ésta representa". No existe ningún sustituto para la lealtad. Es el *cimiento para la confianza entre un jefe y sus subordinados, un profesional y sus clientes y el propietario de un almacén y sus clientes.*

Es esencial en los negocios y en las relaciones personales. Muchos ejecutivos valoran estas dos cualidades en ese mismo orden al escoger empleados para su ascenso a posiciones más altas.

—Napoleon Hill, 1883-1970

❀ ❀ ❀

Lo esencial

¿*D*esea DUPLICAR su eficiencia, su influencia, sus resultados... y su vida misma? Aquí tiene un secreto: elimine lo no esencial.

Dedique su tiempo a las cosas importantes.

La mitad de los empleados "leales", las personas en quien siempre se puede confiar que rellenan las oficinas y tiendas de la tierra, no son ni más ni menos que simples holgazanes y sus jefes son incapaces de notarlo. Hacen su trabajo día a día pero demoran el doble del tiempo necesario y de esta forma DERROCHAN la mitad del tiempo de sus jefes.

Dedique su tiempo a las cosas importantes.

¿Alguna vez observó al hombre de acción, al ejecutivo o al líder en su trabajo? Éstos ven al instante las cosas GRANDES en su correspondencia, perciben de inmediato el aspecto IMPORTANTE de un empleado o de un problema. Luego descartan lo no esencial y se cercioran de que se cumpla con lo esencial y que se lleve a cabo de acuerdo a sus órdenes. Ese hombre generalmente es el que también más hace y sin embargo siempre tiene TIEMPO para las cosas que valen la pena.

Dedique su tiempo a las cosas importantes.

Intente seleccionar las cosas de su trabajo de hoy que realmente se ven esenciales. Luego haga a un lado y deseche los detalles superfluos. Concéntrese en lo esencial. Ya que nunca tendrá importancia en este mundo a menos que dedique su tiempo a las cosas importantes.

El hombre que no lee buenos libros no tiene ninguna
ventaja sobre el hombre que no sabe leer.
—Mark Twain, 1835-1910

La mera lectura de palabras no tiene ninguna importancia
a menos que combine emoción o sentimiento con sus
palabras. Su mente subconsciente reconoce y actúa
en consecuencia sólo de los pensamientos que se han
armonizado con la emoción o el sentimiento.
—Napoleon Hill, 1883-1970

La lectura de buenos libros es una parte esencial
para lograr el éxito. Analice las vidas de Lincoln,
Jefferson y otros grandes hombres y descubrirá
su amor por los libros.
La persona que lee grandes libros no sólo encontrará
entretenimiento, sino que se instruirá hasta el punto
que la separa de aquellas pobres almas que no leen.
—Don M. Green,
Director ejecutivo Napoleon Hill Foundation

LOS LIBROS

*L*os libros contienen la sabiduría así como también la insensatez de todas las épocas. Los pensamientos más grandiosos, las experiencias más profundas y los resultados de prolongados experimentos de difícil comprensión están inmortalizados en los libros.

El carácter del hombre se ve reflejado en los libros que escoge. El carácter de una nación está determinado en gran parte por los libros que leen sus hombres y mujeres. La riqueza del mundo radica en los libros, no en su oro y plata y piedras preciosas y estructuras y tierras.

Lea y vuélvase una persona más útil.

Los buenos libros son reales. Son cortes transversales de la vida. Dicen la verdad y nada ocultan. Puede tomar o dejar lo que dicho libro imparte. Conoce su verdadero valor sin preguntar. Piensa, actúa, camina, trabaja y vive con él. Durante un tiempo forma parte de él. Vive inmerso en el pensamiento del autor. Aunque éste haya dejado el mundo hace años, respira de nuevo y su sangre tiene calor una vez más. Los libros son maravillosos.

Lea y vuélvase una persona más útil.

Los buenos libros hacen que la simpatía sea un atributo del mundo. El progreso no es más ni menos que la acumulación del poder del libro. Sin libros el mundo caería en decadencia. Los buenos libros llevarán la poesía y la música a sus esfuerzos más pequeños.

Lea y vuélvase una persona más útil.

Los más grandes hombres de acción del mundo han sido los más ávidos lectores de la historia. "Lea una vez más", dijo Napoleón a un oficial a bordo del barco que lo llevaría al exilio para siempre. "Lea los poetas una vez más; devore los poemas de Ossián. Los poetas enaltecen el alma y confieren al hombre una grandeza colosal".

Lea y vuélvase una persona más útil. Lea buenos libros con frecuencia y en forma sistemática. Aprenda de los libros. Ame los libros. VIVA los libros.

- *Algunas personas acumulan dinero para poder convertirlo en felicidad. La persona más sabia acumula felicidad para poder obsequiarla a otros y aún así gozar de ella en abundancia.*
- *La felicidad puede multiplicarse si se la comparte con los demás sin disminuir la fuente original. Es el único bien que se incrementa cuando se hace entrega de él a los demás.*
- *La sonrisa es algo pequeño que puede acarrear grandes resultados.*
- *La felicidad estriba en hacer, no sólo en poseer.*
- *No se puede hallar la felicidad despojándosela a alguien más. Lo mismo puede decirse de la seguridad económica.*
- *La sonrisa embellece nuestra apariencia y nos hace sentir mejor sin costo alguno.*
- *Podemos conquistar a cualquier persona más rápido con el afecto que con el odio.*
- *El hombre que comparte su felicidad sin restricciones siempre tiene una gran reserva a mano.*
- *Con una sonrisa puede librarse de las preocupaciones que no consigue ahuyentar con el ceño fruncido.*

—Napoleón Hill, 1883-1970

La actitud mental positiva es una condición imperiosa en los vendedores. A las personas con actitud negativa les resultará difícil vender algo.

La actitud mental apropiada determina en gran parte el grado de éxito que uno obtiene. Hemos repetido que la actitud mental lo es todo.

—Don M. Green,
Director ejecutivo Napoleon Hill Foundation

IRRADIAR

*E*l cuerpo más útil en el firmamento es el Sol. Libra al mundo de la perpetua oscuridad. Irradia su más preciada ofrenda: la luz. También irradia su calor y mantiene el calor de la antigua Tierra. Aprenda una lección del Sol.

Irradie su influencia.

Haga que valga la pena Irradiarla. Irrádiela a sus amigos. Irrádiela a sus asistentes de oficina. Irrádiela en su cargo público. Irrádiela según su propio consenso y asuma con seriedad la responsabilidad que le da la oportunidad de ejercer su influencia.

Irradie sus sonrisas.

Ya que las sonrisas y el aliento son los más grandes estimuladores del mundo. No necesita hablar para irradiar sonrisas y aliento. Emiten sus rayos de calidez, sanación y ánimo desde las líneas de su cara y desde los mismos movimientos de su cuerpo.

Irradie su conocimiento.

Hágalo con un fin elevado. El conocimiento reservado no tiene ningún valor. El único conocimiento que vale la pena poseer es aquel que se comparte. Todo conocimiento que adquiera, irrádielo.

Irradie su dinero.

Gánelo honestamente y de la manera adecuada. Y luego irrádielo para fines útiles. Compártalo con los trabajadores leales que le ayudaron a ganarlo. En sí mismo, el dinero carece de todo valor. Su valor total radica en lo que irradia en emprendimientos prometedores y nobles obras.

Irradie su éxito.

Para un verdadero ganador, no existe nada tan estimulante como repartir los secretos y fórmulas de éxito que ha aprendido. La naturaleza obra por rotaciones. Y de igual manera funciona el éxito del hombre. Lo que es suyo hoy será de otro mañana. Su servicio es preservar la ley: Irradiar hoy lo que le fue otorgado ayer. Ya que la ley de la vida y del éxito es irradiar. Irradiar...

Nunca se puede demostrar benevolencia demasiado
pronto, ya que nunca se sabe cuán pronto puede ser
demasiado tarde.
—Ralph Waldo Emerson, 1803-1882

La cortesía es la costumbre de prestar un servicio útil
sin esperar una recompensa directa, la costumbre de
respetar los sentimientos de los demás bajo cualquier
circunstancia. Es la costumbre de apartarnos de nuestro
camino, si es necesario, para prestar ayuda a cualquier
persona menos afortunada siempre que nos sea posible.
Y por último, la cortesía es la costumbre de controlar el
egoísmo y la avaricia, la envidia y el odio.
—Napoleon Hill, 1883-1970

La cortesía

$\mathcal{P}$ara algunos, la cortesía puede parecer un arte perdido que poco vale la pena traer de regreso. Pero no lo es. La cortesía es una de las artes de antaño que sólo muere con el hombre o con la empresa. Ya que el ascenso de muchos hombres y empresas ha tenido su inicio en ella.

Dedique tiempo a ser cortés.

Emerson escribió una vez: "Dote a un muchacho de un discurso y de talento y le habrá dado el dominio de palacios y fortunas donde quiera que vaya". La cortesía es más valiosa para el hombre que mil cartas de recomendaciones. La cortesía es un bien con mayor poder que el dinero y la influencia.

Dedique tiempo a ser cortés.

Hace algunos años, un joven llamado Wallace trabajaba vendiendo boletos de ferrocarril tras una ventanilla en Oil City, Pennsylvania. Pero no permanecía allí TODO el tiempo. Cuando veía la oportunidad de hacer un favor entregando los boletos directamente al cliente, lo hacía. Además, siempre buscaba nuevas formas de ser amable. El negocio creció. Obtuvo un trabajo más importante. Y luego uno más importante. En la actualidad, siendo todavía un hombre joven, es el Agente General de Pasajeros de toda la empresa Erie Railroad. Puede que algún día llegue a ser su presidente. Le debe su carrera a la cortesía.

Dedique tiempo a ser cortés.

La cortesía aligera las cargas del trabajo. La cortesía exige respeto. La cortesía es la hermana menor de la oportunidad y la sigue de cerca durante las horas del ajetreado día. La cortesía siempre eleva al hombre un poco más.

Dedique tiempo a ser cortés.

El mensajero cortés, el oficinista cortés, el taquígrafo cortés, el director cortés, el líder cortés al frente de tareas pesadas... ¿Quién no escuchó alguna vez algo sobre su crecimiento y sobre su ascenso a cosas más grandes? Reflexione sobre estas verdades. Ya que realmente vale la pena dedicar tiempo a ser cortés.

A la larga, los hombres sólo aciertan a lo que apuntan.
—Henry David Thoreau, 1817-1862

Usted posee un gran potencial para el éxito, pero antes debe conocer su propio parecer y vivir su propia vida. Luego hallará y disfrutará de ese grandioso potencial. Conozca su propio yo y logrará lo que anhela dentro de un tiempo límite de su propia elección. Determinadas técnicas especiales lo ayudan a lograr las metas de sus sueños más entrañables, y cada una de estas técnicas está sobradamente dentro de sus facultades.
—Napoleon Hill, 1883-1970

Todos deberíamos ser conscientes de que la determinación de nuestros propósitos es el punto de partida de todos los logros. En simples palabras, ¿cómo podemos aspirar a lograr nuestras metas si no las tenemos? La mayoría de las personas nunca alcanza esta etapa importante del éxito. Los fracasados nunca deciden qué desean de la vida. Saber a qué apuntar es un comienzo que no puede saltearse si uno desea transitar el camino del éxito.
—Don M. Green,
Director ejecutivo Napoleon Hill Foundation

TENER METAS

*E*l secreto de todo triunfo es la lucha inquebrantable hacia un ideal o plan definido. Un hombre con una meta determinada y el valor de seguir en su sendero no puede fracasar. De hecho, lo que anhele ser, ya lo es... potencialmente.

Tenga un propósito definido. Tenga metas.

Los primeros esfuerzos de John Keats sólo recibieron risas burlonas de sus críticos, pero no les prestó atención porque estaba seguro de sus capacidades y apenas se había secado la tinta de sus críticas él ya había entregado su maravilloso poema Endymion. "Nunca temí al fracaso," confesó, "porque preferiría morir a no figurar entre los más grandes". Cuando murió, Keats sólo tenía veintiséis años; era tan sólo un muchacho. Pero tenía renombre mundial, había logrado su meta.

Washington perdió más batallas de las que ganó. Pero logró cumplir sus sueños de independencia. La gente se maravilló ante la elección de Woodrow Wilson, un simple maestro, como presidente. Pero aquellos que conocen al hombre saben que se ha estado preparando para este glorioso cargo durante un cuarto de siglo, no sólo aspirando al cargo sino a la capacidad de OCU-PARLO. Su meta era ser digno de la tarea, no sólo del honor.

Tenga un propósito definido. Tenga metas.

No existen los "tipos con suerte". Los ganadores son sólo los trabajadores que persiguen una meta, eso es todo. Los hombres de negocios exitosos de cada ciudad -o al menos la mayor parte de ellos- no tenían nada al comenzar más que una simple meta. ¿Cuál es su realidad ahora? Los espléndidos edificios y las grandes empresas que hacen que cada ciudad sea lo que es. ¿Posee usted una meta? Sólo necesita una gran meta principal. Consígala sin demora. Luego sígala en forma constante y con coraje. Ya que es mejor aspirar a una gran tarea y completarla satisfactoriamente y con honor que dividir sus metas en una docena de metas diferentes y fracasar en todas.

Tenga un propósito definido. Tenga metas.

*Por momentos debemos recordarnos a nosotros mismos
que la gratitud es sin duda una virtud.*
—William J. Bennett

*La mejor inversión sobre la tierra es un amable "gracias".
La tienda que lo utilice puede tener la certeza de que sus
clientes regresarán. Piense en las personas que han triunfado
en los negocios: verá que aquellos que han tenido más éxito
son los que tuvieron fe ciega en todos por sus logros y que
expresaron su gratitud por los servicios prestados.
Uno de los hombres más exitosos en los Estados Unidos
agradece a toda persona que va a visitarlo, desde el
recaudador de impuestos para abajo. Agradece a toda
persona que lo llama por teléfono.
Este mismo hombre, cuando habla con su esposa por
teléfono, siempre le dice: "Tu voz suena muy dulce hoy".
Piense en el amor que esta esposa infunde en su trabajo.
Cuando le lustran los zapatos, nunca deja de felicitar al que
lo hizo por su excelente trabajo. La mirada del lustrabotas
refleja que esta expresión de gratitud lo estimula a hacer
un mejor trabajo la próxima vez y aliviana su carga como
ninguna otra cosa podría.
El hombre que expresa su gratitud por el trabajo bien
hecho se beneficia por comparación y contraste ya que
la mayoría de las personas no son lo suficientemente
consideradas para hacerlo.*
—Napoleon Hill, 1883-1970

DAR LAS GRACIAS

*L*a costumbre de agradecer es una de las mejores que puede uno forjarse. Piense por un momento. ¿Alguna vez se lamentó por las gracias que le dio alguien? ¿Alguna vez lo hicieron sentir mezquino, insatisfecho o fuera de lugar? ¿Alguna vez le hizo sentir remordimiento por el servicio prestado? Muy bien, entonces hágase la costumbre de agradecer.

No es necesario expresar sus sentimientos de gratitud en todo momento por medio de palabras. Una vez que se forje la costumbre plenamente la VIVIRÁ inconscientemente. Los hombres y mujeres agradecidos reflejan en sus ojos y en su actitud que siguen la costumbre. Es la más "ostentosa" de todas las cualidades. También es contagiosa.

Hágase la costumbre de agradecer.

Conoce una persona áspera y desalmada. Presta un servicio como si fuera una especie de aparato mecánico. Déle las gracias. Y al instante esta persona se volverá humana. La gratitud actúa como un poderoso estimulante tanto sobre usted como otras personas. Transforma. Todos los días son días buenos, todas las personas son honestas, todo lo que sucede es para bien del que ha dominado a fondo la costumbre de agradecer.

Hágase la costumbre de agradecer.

Lógrelo reconociendo en todo momento los servicios prestados con un simple gracias. Si su oficinista, mozo, secretaria, socio o amigo le hace un favor -sin importar cuán grande sea- déle las gracias sin miramientos, con una amplia y sincera sonrisa. Es una gran inversión. Los dividendos volverán a usted.

Hágase la costumbre de agradecer.

La determinación de nuestros propósitos es el punto de partida de todo logro. Tenga presente esta afirmación. La determinación de nuestros propósitos es el punto de partida de todo logro. Es un obstáculo con el que tropiezan 98 de 100 personas porque nunca definen verdaderamente sus metas ni se lanzan hacia ellas con determinación. Reflexione: el 98% de las personas de todo el mundo transcurren sus vidas sin seguir un rumbo fijo y sin la más mínima idea del trabajo para el cual son aptas. No tienen ningún concepto en absoluto de ni siquiera la necesidad de algo como un objetivo definido por el cual esforzarse. Ésta es una de las grandes tragedias de la civilización.
—Napoleon Hill, 1883-1970

La perspectiva

*H*ora tras hora miles de ruinas humanas se desploman atolondradamente en la catarata de una andrajosa perspectiva y salpican los rápidos del fracaso ofreciendo un espectáculo penoso. ¿La razón? Un timón mal regulado.

Ajuste SU timón antes de zarpar.

El niño en la escuela que tiene como meta ni más ni menos que ajustarse a su lección sólo durante la hora de clase, el oficinista que meramente sueña con su día transcurridas las ocho horas a cumplir y el hombre que mide su éxito según el peso de sus dólares son ejemplos de la perspectiva en la vida en retroceso, vivida según antojos. Existe una única forma de alcanzar el verdadero puerto del éxito real:

Ajuste SU timón antes de zarpar.

Porque la perspectiva es sólo propósito en su forma más pura. Y sólo existe una especie de propósito de cualquier hombre o mujer que se precie: el propósito que sirve a un fin ÚTIL.

Ajuste SU timón antes de zarpar.

Si comienza este día con una perspectiva positiva, lo terminará siendo una persona más feliz, más sana, más generosa y más importante. Es maravilloso también el efecto individual que tiene una perspectiva elevada y honesta, no sólo sobre usted mismo sino en todo su entorno. De hecho, es notable cómo ayuda a moldear el entorno.

Ajuste SU timón antes de zarpar.

Adopte la perspectiva correcta acerca de la vida. Luego impregnará su trabajo, enriquecerá la vida de sus amigos y sus logros y al mismo tiempo lo guiará hacia un éxito rotundo. Busque la perspectiva adecuada para cada tarea A DIARIO. En otras palabras:

Ajuste SU timón antes de zarpar.

Lo que se comenzó bien ya está a medio hacer.
—Aristóteles, 384-322 A.C.

*El tiempo es un maestro trabajador que cura las heridas
de las derrotas y las decepciones, corrige todos los males
y convierte los errores en capital. Pero sólo favorece a
aquellos que luchan contra la desidia y que avanzan
hacia los logros de algún objetivo preconcebido con
un propósito seguro. Segundo tras segundo, a medida
que el reloj marca la distancia, el tiempo está echando
una carrera con cada ser humano. La demora significa
derrota porque ningún hombre puede compensar un
simple segundo de tiempo perdido.*
*Actúe con decisión y rapidez y el tiempo lo privilegiará.
Si titubea o permanece quieto, el tiempo lo borrará
del tablero. La única forma de ahorrar tiempo
es utilizarlo con sabiduría.*
*Hágame saber cómo usa su tiempo libre y cómo gasta
su dinero y le diré qué será y dónde
estará dentro de diez años.*
—Napoleon Hill, 1883-1970

Hoy

Éste es el día más importante en la historia del mundo. Porque es el último día y el único día de esta especie que nunca amanecerá de nuevo.

Hoy no hay mañana.

La preocupación no formará parte de este día. La decepción, el miedo, la envidia, la amargura, el arrepentimiento, la ira, el egoísmo y sus semejantes son parte del pasado. No deben tener espacio ni voz en el día de hoy. Porque, como ya se ha dicho, ESTE día nunca volverá a amanecer. Su recibimiento debe ser majestuoso y las acciones en sus veinticuatro horas deben realizarse con seria consideración orientadas por la responsabilidad y el aprecio.

Hoy no hay mañana.

Su sonrisa de hoy valdrá millones mañana. Sus esfuerzos, sus acciones, sus favores, sus palabras, sus pensamientos escritos y su TODO significarán más hoy que todos sus planes trazados de los próximos veinte años.

Hoy no hay mañana.

Qué decir si sus ancestros eran monos hace algunos años... usted es un hombre hoy. Que usted sea o no el gran hombre o la gran mujer de aquí a diez años dependerá del tipo de hombre o mujer de acción que es hoy. No existen los accidentes del destino. Las grandes cosas que se pueden ser son las pequeñas cosas que se deben hacer hoy.

Hoy no hay mañana.

Los modales son una forma dichosa de hacer las cosas.
—Ralph Waldo Emerson, 1803-1882

Los modales son la percepción sensible de los
sentimientos de los demás. Si posee esa percepción, tiene
buenos modales, sin importar qué tenedor use.
—Emily Post, 1872-1960

Las personas de buen carácter siempre tienen el valor
de tratar a los demás en forma directa y honesta. Lo
hacen incluso aunque a veces los desfavorezca. Su gran
recompensa, entre otras, es la capacidad de mantener una
conciencia limpia.
El idioma inglés está repleto de palabras que conllevan
cada matiz de significado concebible. Por lo tanto,
no puede haber una excusa válida para la costumbre
generalizada de usar palabras que ofenden la sensibilidad
de los demás. Naturalmente, el uso de lenguaje profano
es injustificable en todo momento y
bajo cualquier circunstancia.
—Napoleon Hill, 1883-1970

LOS BUENOS MODALES

$\mathcal{S}$e supone que los modales hacen al hombre. Pero no es así: es el hombre quien hace a los modales. Porque los modales son el hombre. Y señalan el sendero de la interpretación al carácter con la misma certeza que la veleta señala exactamente la dirección del viento.

Demuestre su mejor persona en todo momento.

Cuando suba a un auto, cuando entre a una oficina o a una casa o cuando pasee por la calle. Con las personas (su imagen y semejanza) que encuentre por dondequiera que vaya. Sus modales en su presencia señalan su posición y su propio placer. Su sonrisa, su gracia y su amabilidad pueden cambiar la actitud áspera de un oficinista o el frío recibimiento de la persona que se encuentra frente a usted, ya sea para su beneficio o el de ella.

Demuestre su mejor persona en todo momento.

El Dr. Johnson dijo una vez: "Caballero, el hombre no tiene más derecho a decir una palabra grosera a otro hombre que de derribarlo de un golpe". La persona de buenos modales es aquella que posee consideración y tacto. Y nada es genuino excepto la cualidad inherente de los buenos modales. Ya que ni el dinero ni la posición social ni un éxito rápido pueden dispensarla.

Sea su mejor persona en todo momento.

Ahora bien, los modales son una posesión de lo más envidiable. Pocos nacen sin la posibilidad de tenerlos. Muchos de los que los tienen agazapados en algún lugar no los aprovechan. Hallarlos y ponerlos en práctica hasta hacerlos costumbre es una obra que amerita proclamarse. No puede haber mejor día que hoy para comenzar. ¿Qué tal sacarles lustre en casa? ¿Qué hay acerca de llevarlos con usted a su oficina como hace con su diario matutino? ¿Qué piensa acerca de invertirlos, como futuros dadores de dividendos, en sus colaboradores en la oficina y sus colegas diarios, desde el más humilde hasta el más importante? Puede lograrlo si decide con firmeza demostrar su mejor persona en todo momento.

Y sobre todo:
Sé sincero contigo mismo,
y de ello se seguirá,
como la noche al día,
Que no puedes ser deshonesto
Con ningún hombre.
—William Shakespeare, 1564-1616

En el análisis último, nuestra única libertad
es la de disciplinarnos a nosotros mismos.
—Bernard Baruch, 1870-1965

Ningún otro requisito es tan importante para el éxito
individual como la autodisciplina. . . . La autodisciplina
es la herramienta con que el hombre puede
controlar y guiar sus emociones innatas hacia
el objeto de su elección.
—Napoleon Hill, 1883-1970

EL AUTOCONTROL

$\mathcal{E}$l autocontrol es simplemente el valor en su forma más plena, listo para actuar con calma en las emergencias. Es el hombre al volante con total poder. Además, el auto-control es el hombre que se hace feliz a sí mismo porque es su propio jefe.

Puede ser lo que anhele, si anhela serlo.

Ya que las intrincadas fuerzas del cerebro se agolpan unas sobre otras en busca de un líder. Y ahí es donde la fuerza humana da un paso al costado y toma el control. En primer lugar, usted es lo que es. Nunca lo moldearon manos ásperas. Fue formado por la divinidad en crudo. Luego sólo resta que la divinidad lo moldee hasta hacerlo fuerte. El autocontrol es la piedra angular de la divinidad.

Puede ser lo que anhele, si anhela serlo.

Domine su propio ser y de inmediato se hallará en el centro de las cosas, ya que atraerá a los demás a su camino. El gran taller con sus miles de ruedas, fajas, pernos y tornillos trabajando en la más fina armonía, despierta la admiración a medida que su central eléctrica, de forma humana y en perfecto autocontrol, produce sus maquinarias acabadas. Pero más grande es su taller humano cuando bajo un autocontrol absoluto realiza acciones meritorias e imperecederas.

Puede ser lo que anhele, si anhela serlo.

El autocontrol necesita constituirse con paciencia, la facultad de permanecer callado cuando lo que se quiere es hablar y de asir con férrea voluntad su propio ser por el bien de las horas más importantes. Ningún hombre jamás ganó nada sin antes ganarse a sí mismo. Usted es un poderoso manojo humano de pasión, sazón y poder. La combinación de estos elementos en la proporción atinada y su dominio de los mismos harán de usted una indudable persona exitosa. Inténtelo.

Puede ser lo que anhele, si anhela serlo.

El poder personal se obtiene mediante la afable
coordinación de esfuerzos y de ninguna otra manera.
—Napoleon Hill, 1883-1970

Usted cuenta con el poder de la elección. Por lo tanto,
puede escoger ser muy selectivo. Recuerde: cada quien
cosechará su siembra. La cosecha de sus experiencias
resultará en directa proporción a la calidad de las semillas
de pensamientos positivas o negativas que plante en su
mente y las acciones positivas o negativas que ejecute
y las sugerencias que da a aquellos a quienes desea
influenciar.
Siembre semillas positivas de auto-sugestión para
adquirir el conocimiento mediante el cual podrá cultivar
optimismo, altruismo, generosidad, amor, felicidad,
esperanza, integridad, valor, buena salud, grandes logros
y éxito financiero en la mente subconsciente.
—W. Clement Stone, 1902-2002

La influencia

*T*an pronto como comienza a pensar o hacer algo, empieza a tener influencia. La influencia es algo que no se puede conservar en casa. Y cuando se aleja de usted, nunca puede pedirle que regrese.

Su influencia lo convierte en algo de alguien más.

La influencia no tiene límites. Una vez originada, aunque pueda parecer de lo más insignificante, puede tener como destino los más distantes rincones de la Tierra. Si desea comprender la concepción de poder, tome conciencia de la influencia del hombre poderoso.

Es bueno tener presente que eso que posee y que no puede evitar ceder a los demás es su influencia.

Recuerde que su influencia nunca es absorbida por completo ni se desvanece en la nada. Es importante una y otra vez. La influencia no tiene fin.

Los tres grandes elementos en la vida, los amigos, la felicidad y el éxito dependen todos de la debida influencia. Por eso es bueno saber que incluso la persona más humilde es, después de todo, dueña de su propia influencia. Puede irradiarla con el fin de esparcir luz o sombras. Es su elección.

La mayor responsabilidad del hombre en este mundo estriba en la manera en que adquiere e imparte su influencia.

Su influencia hoy seguramente tendrá una notable influencia sobre la obra total del mundo. Su influencia sobre los demás y la influencia de los demás sobre usted se convertirán con certeza en una fuerza y un factor en la obra completa de su día y el de ellos.

Asegúrese de que su influencia continúe siendo genuina e íntegra y ésta regresará para renovarlo una y otra vez.

*Deje entrar en la realidad la posibilidad de lo improbable.
Dígase a usted mismo, como Henry Ford solía decir a sus
ingenieros, "Siga trabajando".*
—Napoleon Hill, 1883-1970

*Imagínese como un poder indomable repleto de
pensamientos positivos, y con esta actitud mental positiva
y la creencia de que está alcanzando sus metas se sentirá
relajado y seguro de sí mismo.*
—Napoleon Hill, 1883-1970

*Sentarse cada tarde a esbozar una lista de las cosas
para hacer el día siguiente es una idea excelente. La
lista jerarquiza cada tarea que debe hacerse según su
orden de importancia. La lista nos recuerda hacer lo más
importante en primer lugar y así sucesivamente. Mediante
el uso de una lista de tareas para hacer, podemos lograr
más y evitar dedicar demasiado tiempo a las cosas de
poca importancia. Por ejemplo, si tenemos diez elementos
y completamos el número ocho, probablemente hayamos
logrado mucho. Pero si salteamos la tarea número uno y
la número dos y completamos las últimas ocho tareas, el
día habrá pasado y nosotros habremos pasado por alto las
dos tareas más importantes. Pruebe la lista de las tareas
para hacer y se complacerá al ver los resultados.*
—Don M. Green,
Director ejecutivo Napoleon Hill Foundation

Enfrentar

$\mathcal{A}$lgunas personas imaginan que eludir la tarea que deben hacer es lo más fácil de hacer. Sin embargo, lo cierto es que siempre es más fácil ir al encuentro de la tarea y enfrentarla.

Nadie excepto el haragán inventa excusas para evadir lo que debería enfrentar.

Desafortunadamente, muchas veces aprendemos las lecciones más valiosas demasiado tarde en la vida. La principal razón es nuestra timidez y cobardía de enfrentar cada problema tan pronto como éste se nos presenta. Muchos hombres han evadido un problema en su juventud que fácilmente podrían haber resuelto en ese entonces para así seguir adelante. En cambio, se rehusaron a luchar contra él hasta que debieron enfrentarlo más tarde encubierto de los tormentos más amargos de aflicción y remordimiento.

Se precisa de mayor valor para decidir algo que para hacer ese algo.

¿Tiene alguna tarea especialmente difícil para hacer hoy? Enfréntela. ¿Tiene usted un enemigo? Enfréntelo y conviértalo en su amigo. ¿Se siente capaz de hacer un trabajo más importante que el que está haciendo? Enfrente el nuevo trabajo y decida dominarlo. Cualquiera sea su problema, enfréntelo con valor y sin temor y con la serenidad que llega al hombre cuando éste decide avanzar de acuerdo a su conciencia.

No soslaye ni eluda nada. Si hay algo que vale la pena concluir, enfréntelo y acábelo.

Si desea una cualidad, actúe como si ya la tuviera.
Pruebe la técnica del "como si".
—William James, 1842-1910

Es sabido que una enfermedad prolongada a menudo
nos obliga a detenernos, mirar, escuchar y pensar. Así,
podemos descubrir la estrategia para aprehender esa
vocecita queda que nos habla desde nuestro interior
y para analizar las causas que nos han conducido a la
derrota y al fracaso en el pasado. La muerte de un amigo
querido, esposo, hermano o amante que parecía ser una
mera privación, más tarde asume de alguna manera el
aspecto de una guía o influencia poderosa, ya que por lo
general desencadena revoluciones en nuestra forma de
vida, concluye una época de infancia o de juventud que
esperaba cerrarse, pone fin a un empleo no deseado o
a una familia o un estilo de vida y posibilita la formación
de nuevas modalidades más acogedoras para el
desarrollo del carácter.
—Napoleon Hill, 1883-1970

EL APLOMO

El aplomo es una gran fase del éxito ya logrado. Ya que sin aplomo, sólo puede haber un leve éxito. El aplomo implica mantener la calma cuando todos los demás la pierden.

El aplomo es poder del que se habla con honestidad. Es poder asentado firmemente.

Cuando la culpa parece señalar su camino, cuando los dedos de los criticones parecen estar todos centrados frente a su cara, cuando tras su puerta se agolpa un fracaso tras otro, cuando los viejos amigos se vuelven enemigos, cuando las nubes comienzan a acumularse, negras y amenazantes... ése es el momento de demostrar aplomo. Ése es el momento de enfrentar a la multitud y cortar el aire con su dominio de la confianza y el aplomo. Las personas con aplomo son las que ganan las batallas.

Y usted que está dominando y preservando el arte del aplomo está preservando la paz ya que está preparado para la guerra.

El hombre poderoso escucha y piensa en todo momento. Con dicha actitud puede considerar y juzgar con justicia y libertad los problemas más desconcertantes. Para ese hombre el aplomo es como un banco repleto de fondos.

El aplomo amalgamado en su carácter le otorgará a este último equilibrio y proporción. Lo hará apto y formidable.

¿Cuántas veces ha visto al hombre de acción en su escritorio, sereno y dueño de sí mismo, con tiempo de sobra para cualquier cosa importante, mientras a su alrededor reinan la confusión y una atmósfera de importancia que a fin de cuentas tiene muy poca importancia?

Reflexione acerca del aplomo y póngalo en práctica. El aplomo se origina cuando usted comienza a eliminar el miedo y el desorden.

Nada contribuye tanto a apaciguar la mente como un propósito firme, un punto en el cual la mente debe fijar su ojo intelectual.
—Mary Wollstonecraft Shelley, 1797-1851

El líder exitoso debe planear su trabajo y trabajar en base a su plan. El líder que actúa guiándose por conjeturas, sin planes prácticos definidos, es comparable al barco sin timón. Tarde o temprano acabará encallado en las rocas.
—Napoleon Hill, 1883-1970

Figura en el Antiguo Testamento un verso que reza que si alguien desea construir un edificio, antes deberá sentarse y formular un plan.
Cuando se desea algo pueden ocurrir dos cosas: Una es esperar hasta que los planes parezcan perfectos, la otra es comenzar una vez que se hayan hecho los planes. Una vez iniciado un proyecto, puede que se descubra que los planes son erróneos o defectuosos. La respuesta radica en no darse por vencido, siempre que el propósito valga la pena, y en obtener nuevos planes, modificando los anteriores o pidiendo ayuda a los demás.
—Don M. Green,
Director ejecutivo Napoleon Hill Foundation

COSAS PARA HACER

*L*as personas que más hacen y que aun así parecen tener más tiempo en sus manos para otras cosas son aquellas que van a su trabajo con un plan cuidadosamente trazado. Porque a fin de cuentas, la persona que conserva y aprovecha al máximo las 24 horas del tiempo bajo su control es la que lidera y gobierna.

Los exitosos son aquellos que ven y hacen; los fracasados son aquellos que ven pero no hacen.

Tener cosas para hacer y hacerlas de acuerdo al plan ha producido suficientes romances en los negocios del mundo que de ser escritos se eternizarían en su inspiración a las generaciones futuras.

Veamos un simple ejemplo. Hugh Chalmers: mensajero, luego vendedor, luego director de ventas, luego vicepresidente y director general de la National Cash Register Company... y luego presidente de una empresa que él mismo organizó, en la actualidad hace negocios por millones y millones. Todas las noches la secretaria del señor Chalmer anota en un listado las diez cosas más importantes para hacer al día siguiente.

El tiempo empleado en planificar cosas y ponerlas en un orden lógico de acción la noche anterior o al comienzo de cada día es tiempo invertido por adelantado.

Víctor Hugo señaló: "Aquel que cada mañana planifica las transacciones del día y cumple el plan lleva consigo un hilo que lo guiará a través del laberinto de la vida más ajetreada. La distribución sistemática de su tiempo es como un haz de luz que atraviesa todas sus operaciones".

*En toda la historia de la humanidad no ha habido nadie
más idéntico a usted ni tampoco lo habrá en toda la
infinidad del tiempo que queda por venir.*

*Usted es una persona muy especial. Y debieron sortearse
muchos obstáculos para que usted cobrara existencia.*

*Sólo piense: decenas de millones de espermatozoides
participaron en una gran batalla, y sin embargo sólo uno
de ellos triunfó: el que le dio origen.*

*Sus genes contienen toda la información hereditaria apor-
tada por sus ancestros, los cuales sobrevivieron a través
de innumerables generaciones. Nació para ser campeón.*

*Y sin importar qué obstáculos y dificultades deberá
sortear en su camino, no serán ni una décima parte de los
que fueron superados en el momento de su concepción.*

La victoria es inherente a todo ser humano.
—Napoleon Hill, 1883-1970

Los ancestros

¿*E*s usted una de esas personas que disfruta perder el tiempo pensando en qué tiene de sus ancestros? Lo cierto es que sus ancestros son lo que USTED es. Algo de lo mejor y lo peor que ha pasado antes que usted hoy está en alguna parte dentro de usted.

Lo más sensato que puede hacer es descubrir las cualidades más útiles de su ascendencia dentro de usted y comenzar a tramar –desde donde cesó su obra- cosas más grandes y más importantes.

Los valores de los ancestros se elevan cada vez que usted hace su trabajo hoy mejor que ayer.

Se cuenta una historia de Ney, uno de los famosos mariscales de Napoleón. En un banquete durante la campaña rusa, una mujer brillante había estado contando a Ney sobre sus maravillosos ancestros, cuando de repente preguntó: "A propósito, Mariscal Ney, ¿quiénes fueron SUS ancestros?" Ney respondió: "Señora, yo mismo soy un ancestro".

A fin de cuentas, la tarea de ser un ancestro es un asunto muy serio. Es suficiente para levantarnos el ánimo y hacernos trabajar para impulsar la sangre a nuestras arterias.

En la misma proporción que hombres y mujeres prestan servicio en este mundo, olvidan su propio interés personal y comienzan a planificar y participar en los futuros de su carrera. El hombre que incorpore esta verdad en su sistema con certeza será un mejor oficinista, abogado, hombre de negocios, padre o ciudadano. Y ninguna mujer puede tomar en serio esta idea sin dar lustre a los deberes importantes de su vida.

¿Ancestros? Vaya, somos TODOS ancestros.

*¿Tiene un problema? Eso es bueno. ¿Por qué? Porque
cada vez que enfrente un problema y lo aborde y lo
domine con una actitud mental positiva, se volverá una
mejor persona, una persona más importante y más exitosa.*
—Napoleon Hill, 1883-1970

*El fracaso es un dispositivo de medición preciso mediante
el cual una persona puede determinar sus debilidades. Por
eso justamente brinda la oportunidad de corregirlas. En
este sentido el fracaso es siempre una bendición.*
*El fracaso generalmente afecta a las personas en una de
dos formas distintas: Sirve simplemente como un desafío a
un esfuerzo mayor o nos doblega y nos disuade de intentar
de nuevo.*
*La mayoría de las personas pierden la esperanza y se dan
por vencidas ante los primeros signos de fracaso, incluso
antes de que éste las haya superado. Y un gran porcentaje
de personas se dan por vencidas cuando las supera un
único fracaso. El líder potencial nunca se doblega ante el
fracaso, sino que recibe de éste inspiración para dedicar un
mayor esfuerzo. Observe sus fracasos y aprenderá si posee
potencial para el liderazgo. Su reacción le dará una pista
confiable.*
*Si logra continuar intentando después de tres fracasos en
determinado cometido, puede considerarse "sospechoso"
como potencial líder en la profesión de su elección. Si
logra continuar intentando después de una docena de
fracasos, la semilla de un talento está germinando dentro
de su alma. Bríndele el sol de la esperanza y la fe y observe
cómo concreta grandes logros personales.*
—Napoleon Hill, 1883-1970

MAÑANA

*P*ara la persona que nunca logró nada, el mañana es lo que sucedió ayer pero que él pretende hacer suceder hoy.

Lo que se posterga para mañana raras veces se hace hoy. La gran tarea FINALIZADA es siempre la tarea hecha hoy, cuando todavía hay tiempo, cuando todavía hay inclinación, cuando todavía hay vida y salud y cuando todavía existe la posibilidad.

Lo que se posterga para mañana raras veces se hace hoy. Algunas de las cosas más importantes logradas alguna vez se realizaron en un día. Napoleón fue desterrado a un infierno en vida (en una roca solitaria rodeada de guardias armados vigilándolo) por la sencilla razón de que Blucher decidió cumplir con su parte con Wellington sin exponerse al mañana. El mañana para Grouchy significaba una derrota para Napoleón; para Blucher, un hoy "mejorado".

Lo que se posterga para mañana raras veces se hace hoy. Puede que hacer las cosas mañana sea más fácil que hacerlas hoy, pero si se arriesga a postergarlas, lo más probable es que no serán hechas. El dinero ganado hoy representa dividendos para usted el día de mañana. El trabajo iniciado y terminado hoy otorga tranquilidad y satisfacción mañana. Los récords que se hacen hoy inspiran y lideran los grandes ejércitos de luchadores mañana. Recuerde:

Lo que se posterga para mañana raras veces se hace hoy.

Las mujeres que crean un mundo de hombres. Se ha dicho: "Detrás de cada hombre hay una mujer". Esta afirmación no es del todo cierta, pero cuando encuentre una instancia en que no lo sea, bien puede preguntar: ¿Por qué no? De vez en cuando conocerá algún hombre bullicioso que dice que es lo suficientemente hombre para prescindir de la influencia de las mujeres. Pero es probable que no sea capaz de congeniar ni con mujeres ni con hombres, o puede que tenga dudas internas tan profundas sobre su propia hombría que compensa así su falta en exceso. El cazador de la era prehistórica que traía su presa esperaba con ansias el momento en que se la mostraría con orgullo a su mujer.
—Napoleon Hill, 1883-1970

Sin duda las mujeres merecen mucho más reconocimiento por el éxito del hombre en vida que el que generalmente reciben. La historia está repleta de ejemplos, muchos de los cuales son famosos y otros que no. La esposa de Henry Ford era la que le daba el dinero para comprar los elementos necesarios mientras él desarrollaba un carburador para el motor a gasolina. Andrew Johnson, nuestro decimoséptimo presidente, aprendió a leer instruido por su esposa. Sin dudas Johnson no habría sido presidente si no hubiera aprendido a leer. Muchas veces, el amor de una mujer brinda el incentivo necesario para que un hombre enfrente obstáculos y no se dé por vencido. No existe mayor aliento que el que brinda una mujer que ama profundamente a alguien.
—Don M. Green,
Director ejecutivo Napoleon Hill Foundation

HACIA ADELANTE

$\mathcal{E}$sta charla está dirigida a las mujeres. Tanto las solteras como las casadas. El tema garantiza la felicidad y la inspiración. Tiene que ver con el progreso. Aquí lo tiene.

Mantenga el paso.

Mantenga el paso junto al hombre. Porque él ha asegurado sus pasos hasta alcanzar algo mejor gracias a usted. Tras la grandeza y la obra de cada hombre siempre ha figurado el nombre de una noble mujer más importante que la hazaña o la obra realizada por el hombre. El mundo siempre reverenciará el nombre de las madres y esposas de los hacedores de la historia.

Mantenga el paso.

El joven cuyo nombre algún día anhela unir al suyo hoy mismo está siguiendo su ejemplo. Usted, que ya lo tiene a su lado, ¿qué piensa de ello? ¿Está siguiendo sus pasos? ¿Y está usted manteniendo el paso? Si no es así, comience ahora mismo.

Mantenga el paso.

El hombre es tan importante como la mujer que lo ama, que lo hace ser y que desea que lo sea. Un gran hombre nunca puede ser más importante que la gran mujer que lo ayuda a ser grande. Su poder es el de él. Pero si usted no concede poder, sus alas cortadas lo harán caminar tristemente y en soledad. Su lucha puede convertirse así en una lucha contra lo inevitable.

Mantenga el paso.

A medida que él aprenda, aprenderá usted. A medida que él se eleve, usted se elevará. A medida que él luche, usted luchará. Cuando él triunfe, usted triunfará. Mientras perdure este mundo, usted, que a veces se considera "sólo una mujer", será quien guíe y gobierne. Después de todo, es su reino. Pero en el hogar, en los negocios y ante los ojos de las personas en público, éste debe ser su amor y ésta su vida junto al hombre.

Mantenga el paso.

La derrota nunca es lo mismo que el fracaso salvo que y hasta que se haya aceptado como tal. En palabras de Emerson, "nuestra fortaleza surge de nuestra debilidad". No es hasta que nos asestan una puñalada, nos golean y nos disparan que despierta la indignación que se arma a sí misma con fuerzas secretas. Una gran persona siempre estará dispuesta a ser pequeña. Mientras descansa sobre la almohada de las ventajas, se echa a dormir. Cuando se la empuja, se la atormenta y se la derrota tiene la posibilidad de aprender algo: ha recuperado el juicio, su hombría; ha acumulado información; ha caído en cuenta de su ignorancia, se ha curado de la necedad de la arrogancia. Ha ganado moderación y verdadero talento.
—Napoleon Hill, 1883-1970

Muchas personas desean darse por vencidas al primer indicio de resistencia. Las siguientes palabras del ex presidente Calvin Coolidge ilustran la persistencia que debemos adoptar a fin de usar los obstáculos que se nos presentan en el camino como escalones para elevarnos. "No hay nada en el mundo que pueda reemplazar a la perseverancia. El talento no es capaz. Nada es más común que los hombres fracasados con talento. La genialidad no es capaz. La genialidad no recompensada es por todos conocida. Tampoco puede reemplazarla la educación. El mundo está repleto de parias educados. La perseverancia y la determinación son omnipotentes por sí solas. La consigna 'Siga adelante' ha resuelto y siempre resolverá los problemas de la raza humana".
—Don M. Green,
Director ejecutivo Napoleon Hill Foundation

BORDES RASGADOS

*T*ras toda tragedia del fracaso se esconde siempre la fatal verdad de la negligencia y descuido, bordes que se perduran rasgados e incompletos.

Concluya las cosas a medida que se le presentan.

Hace algunos años, un joven en Western College se sentía infeliz y deprimido. Quería abandonar su carrera. Pidió consejo a un hombre de éxito y éste fue el consejo: "Aguante. Termine algo. Hay demasiados hombres con bordes rasgados conglomerados ahí afuera". El joven concluyó sus estudios universitarios con honores. En la actualidad es un líder y un hombre exitoso.

Concluya las cosas a medida que se le presentan.

Muchos hombres dejan de trabajar cuando termina su horario. Dejan su trabajo diario con bordes rasgados. Éste es el hombre que comienza sus días con bordes rasgados y al final su ciclo termina como una vida incompleta.

Concluya las cosas a medida que se le presentan.

Hay satisfacción y una sensación de fortaleza latente en el pecho del hombre que comienza algo y lo termina. Verá que es cierto si lo hace. La tarea más importante es siempre la tarea a mano. Complétela. Haga que se vea bella y pura cuando la termine. Mírela bien. Asegúrese de que no quedan bordes rasgados.

Concluya las cosas a medida que se le presentan.

Convierta al esmero en uno de sus soberanos. Advierta las cosas triviales con precisión. Reúnalas y conózcalas. Ya que de ellas surgirá la perfección.

Concluya las cosas a medida que se le presentan.

*No le servirá a nadie permanecer al margen de la
vida y verse pasar a sí mismo para verse a sí mismo
como los demás lo ven.*
—Napoleon Hill, 1883-1970

*Desde ya, la obra es el gran secreto. La fe sólo puede
existir si se la aprovecha. Así como no se puede desarrollar
un brazo musculoso si no se lo usa, no se puede forjar
la fe simplemente hablando y pensando en ella. Hay
dos palabras que se asocian inseparablemente a la fe:
perseverancia y acción. La fe es el resultado de dedicar
acción perseverante tras la firmeza de nuestros propósitos.
Los firmes propósitos y los motivos válidos despejan la
mente de muchas dudas y temores y otros elementos
negativos que deben eliminarse para permitir que actúe
la fe. Cuando uno desea algo y se esfuerza activamente
por conseguirlo, pronto descubre que su mente se abre
automáticamente para guiar la fe. Sin acción, la fe muere.
Las emergencias de la vida a menudo conducen a las
personas a la encrucijada donde se ven obligadas a elegir
su dirección, un camino señalizado por la fe y el otro por
el temor. ¿Qué es lo que provoca que la gran mayoría
elija el camino del temor? La elección depende de la
actitud mental de cada uno. La persona que toma el
camino del temor lo hace porque ha olvidado condicionar
a su mente a ser positiva. ¿Qué hay si ha fracasado en
el pasado? También lo hicieron Thomas Edison, Henry
Ford, los hermanos Wright, Andrew Carnegie y todos los
otros grandes líderes estadounidenses. Todas las personas
verdaderamente grandes han reconocido la derrota
temporal como exactamente lo que es: un desafío que
invita al mayor esfuerzo respaldado por una mayor fe.*
—Napoleon Hill, 1883-1970

LOS EXPECTADORES

$\mathcal{E}$n la vida uno o bien está fuera de la línea de banda o dentro del juego. Si está fuera de la línea de banda está simplemente observando. Está inactivo. Contribuye a su placer personal. Si está dentro del juego está jugando con ardor, está obteniendo placer y prestando un servicio.

Siempre obtendrá más placer del juego si es jugador en lugar de espectador.

A lo largo de las calles de cualquier pueblo o ciudad están alineados los espectadores. Dentro de las tiendas y oficinas y fábricas se alojan los trabajadores. Los trabajadores son los que dan sostén a los espectadores.

No permita que ningún hombre haga por usted lo que usted debería hacer para sí mismo.

Ser el mero poseedor de un trabajo tiene poca importancia. Usted debe ser el trabajo en todo sentido de la palabra o de lo contrario puede entrar en la clasificación de los espectadores.

Lo peor de los espectadores es que no contribuyen ni a ellos ni a otras personas; son un espacio en blanco.

La ley más certera en el mundo es la ley de la compensación. Su justicia actúa en forma permanente. Si presta un servicio, recibe un servicio. Si no hace nada, no recibe nada. La mera existencia no es vivir.

Ponga trabajo, recreación y descanso en sus veinticuatro horas y procure no ser un espectador en ningún momento.

• *El hombre que acude a sus amigos sólo cuando busca algo de ellos pronto se encuentra sin amigos.*

• *Los amigos no deben darse por sentado. Por el contrario, se los debe cultivar.*

• *Si anhela un círculo de conocidos, sea rico. Si desea amigos, sea amigo.*

• *Si va a decepcionar a alguien, asegúrese de que no sea al amigo que lo ayudó a levantarse cuando estaba deprimido.*

• *Un amigo es aquel que conoce todo acerca de uno y aún así lo respeta.*

• *La amistad necesita exteriorizarse con frecuencia para seguir con vida.*

• *La amistad reconoce los defectos en los amigos pero no habla de ellos.*

—Napoleon Hill, 1883-1970

Los amigos

*L*os amigos son imprescindibles. Así como lo son el aire, el alimento y la vestimenta. ¿No es carente, solitario e inútil aquel que carece de amigos? ¿Quién supo alguna vez de algún hombre inútil que tuviera amigos? Las cosas semejantes se atraen.

Para hacer un amigo, debe ser un amigo.

El arte de la amistad es un arte del corazón; todo lo demás lo envilece. Aquel a quien hablamos y en quien confiamos no es más que otro de nosotros transplantados donde el coraje, el aliento y la afabilidad están siempre alertas. Acudimos a nuestro amigo y él nos eleva... y sentimos que vuelve a sí mismo nuevamente dentro de nosotros.

Un amigo es un socio mutuo con quien no necesitamos acuerdos firmados.

Se cuenta de Carlyle y Tennyson que solían sentarse juntos por horas sin decirse una palabra y luego se separaban. Y ambos se iban inspirados y ennoblecidos gracias al encuentro.

Tras el conocimiento de que usted posee un amigo se esconde el secreto de su capacidad de seguir adelante y triunfar en sus planes.

La gloria de la alegría de los amigos no depende de las cantidades. Tenga sólo un verdadero amigo y será suficiente. Aquel que no se rehusará a comprenderlo o protegerlo; aquel que durante los momentos difíciles o ásperos de buena gana cubrirá su otro flanco junto a usted.

Es su amigo quien realza lo mejor de lo que usted es capaz.

La sinceridad de prestar servicio lo guía hacia adelante, hace de cada día un éxito seguro como si ya hubiera sido completado y entregado a usted. Si tiene alguna duda acerca de lo que debería ser en el mundo, impóngase la tarea de hacer de usted un gran amigo. Recuerde: la vida es demasiado corta para ser amigo y hacer amigos.

*Cultive sólo aquellas costumbres por
las que está dispuesto a ser dominado.*
—Elbert Hubbard, 1856-1915

Las costumbres crean una segunda naturaleza.
—Jean Baptiste Lamarck, 1744-1829

*Primero formamos costumbres, luego éstas nos forman
a nosotros. Domine sus malas costumbres o tarde o
temprano éstas lo dominarán.*
—Dr. Rob Gilbert

*La persona sin un rumbo fijo no hace ningún intento
de disciplinar o controlar sus pensamientos y nunca
aprende la diferencia entre los pensamientos negativos
y los positivos. Permite que en su mente entre cualquier
pensamiento errabundo que revolotee a su alrededor.
Las personas que van a la deriva en lo que respecta a su
modo de pensar seguramente irán a la deriva en otros
aspectos. Una actitud mental positiva es la primera y la
más importante de las 12 grandes riquezas de la vida
y no puede ser alcanzada por los que van a la deriva.
Sólo puede lograrse mediante un minucioso cuidado del
tiempo y a través del hábito de la autodisciplina. Ninguna
cantidad de tiempo dedicada a nuestra ocupación puede
compensar los beneficios de una actitud mental positiva,
ya que ésta es el poder que convierte al uso del tiempo
en algo efectivo y productivo.*
—Napoleon Hill, 1883-1970

La costumbre

*L*a costumbre es una serie fija de actos. Haga algo una vez y se marcará un surco. Haga algo dos veces y se trazará un sendero. Haga algo tres veces y resplandecerá un camino.

Haga lo correcto una y otra vez.

Desde el pestañeo inconsciente del ojo a los movimientos suaves e imperceptibles de un millón de mundos, la ley de la costumbre inexorablemente domina su rumbo. La vida entera no es más que un conjunto de costumbres.

Haga lo correcto una y otra vez.

Los centavos que se ahorran hoy hacen los níqueles en el banco el día de mañana. Los níqueles que están mañana en el banco son los dólares en el banco el año próximo. Con los años, los dólares ahorrados forjarán una fortuna. La costumbre crea o quiebra; puede elevarlo o sepultarlo.

Haga lo correcto una y otra vez.

Si hoy es ligero querrá serlo también mañana. Si hoy es honesto seguramente querrá seguir siéndolo. La lucha por algo que vale la pena ahora mismo no puede más que aliviar la lucha por algo valioso más adelante. Es la ley de la costumbre. Y la costumbre nace poco a poco de la acción más minúscula repetida una y otra vez.

Haga lo correcto una y otra vez.

Hágase grande valiéndose de la costumbre. No existe otra forma. Comience lo que emprenda de la manera correcta. O de lo contrario comience todo nuevamente. Puede acariciar los huevos de una pitón pero no puede jugar con la pitón. Puede acabar la mala costumbre hoy mismo, pero si espera hasta mañana la mala costumbre acabará con usted.

Haga lo correcto una y otra vez.

❉ ❉ ❉

Observe al águila con sus crías. Observe cuidadosamente la lección que les está dando. El instinto maternal le dice al águila que debe empujar a sus crías hacia el despeñadero para así obligarlas a desarrollar confianza en sí mismas incluso antes de aprender a volar. Los aguiluchos riñen, chillan y se aferran al nido porque no tienen el valor de desplegar las alas o el conocimiento de cómo "izar las velas" para que el viento las lleve consigo hacia donde hay comida.

Los aguiluchos no son muy diferentes a algunas personas que nunca intentan alcanzar el éxito porque también carecen de confianza en sí mismas, y si los vientos de la adversidad y la desventura las llevan de un soplido al precipicio de la experiencia, chillan y se aferran a sus amarras, igual que los aguiluchos.

—Napoleon Hill, 1883-1970

SU MADRE

*L*a palabra más dulce en el lenguaje de los lenguajes es madre. En cada letra de esta palabra hay un caudal de música tan divino que la palabra entera a menudo rinde homenaje a las madres a quien honra, de lo vibrantes que son las cuerdas de tan angélico amor.

Nancy Hanks, la madre de Lincoln; Frances Willard y Jane Addams, madres de los sin madre; la Reina Victoria, la madre de una nación de madres...

Quienquiera que usted sea, su bien más preciado es su madre. Aunque esté en bancarrota, desanimado, golpeado por las derrotas, falto de esperanza, descorazonado o alienado, siempre habrá un día glorioso en la puesta del sol esperando por usted si tan sólo regresa a su madre con el pensamiento, el corazón o en persona.

El acontecimiento más maravilloso en la historia del mundo se dio cuando la primera mujer se convirtió en madre. La vida humana se ha convertido en algo hermoso porque el mundo ha tenido a sus madres.

Los personajes más importantes en toda comunidad son las madres. La comunidad más grandiosa es aquella que honra más a sus madres. Los hombres más admirables en toda comunidad son aquellos que rinden el más alto tributo a la maternidad.

Nadie ha superado ni superará nunca la hazaña de la mujer cuando se convierte en madre.

¿Cuándo fue la última vez que le escribió a su madre? Si ya ha abandonado este mundo, ¿con qué frecuencia piensa en ella? ¿Es consciente de que todo lo que usted es o espera ser alguna vez se remonta a los años en que su madre -con todo su ser palpitante de orgullo- lo abrazó con fuerza y con los ojos brillantes y llorosos de amor custodió su mismísimo aliento y hora tras hora mantuvo el paso con los latidos de su corazón?

Piense en cómo todos esos días lo cobijó dando muestras de altruismo y sacrificio genuinos.

La medida de su éxito será el grado de homenaje que rinda a su madre y a la maternidad.

¿Cuántas historias indecorosas contaría si su madre pudiera estar siempre presente? ¿Cuántos asuntos injustos y viles dejaría pasar si los ojos de su madre se posaran sobre usted? No se preocupe por las faldas de alguien a quien pegarse. Siempre llega el momento en que ya no hay faldas de nadie a quien pegarse Y en ese momento anhelará que regresen los viejos tiempos.

Si alguna vez el fracaso comienza a apremiar, los amigos comienzan a desvanecerse o si alguna vez la majestuosa figura de su voluntad comienza a perder poder, haga lo siguiente: piense en su madre y viva a la altura de sus ideales acerca de usted.

Bese a su madre al adentrarse en la lucha de este día. Y al estar cerca de ella, llene las arrugas de su frente con sus sonrisas. Alivie sus inquietudes. Escríbale aunque los negocios estén en bancarrota. Visítela con frecuencia aunque para eso precise dar la vuelta al mundo. Permita que su viva presencia le infunda valor. Y si ya se ha ido de su lado, permita que su memoria le sirva de guía e inspiración así como una vez usted guió e inspiró su fe.